大语文分级阅读

小鹿斑比
勇气与智慧

[奥] 费利克斯·萨尔腾 著

学而思教研中心 编

山东电子音像出版社

·济南·

第一学段·1—2年级

前　言

——写给爸爸妈妈和老师

“阅读力就是成长力”，这个理念成为越来越多父母和老师的共识。的确，阅读是一个潜在的“读—思考—领悟”的过程，孩子通过这个过程，打开心灵之窗，开启智慧之门，远比任何说教都有助于其成长。

儿童教育家根据孩子的身心特点，将阅读目标分为三个学段：第一学段（1—2 年级），课外阅读总量不少于 5 万字；第二学段（3—4 年级），课外阅读总量不少于 40 万字；第三学段（5—6 年级），课外阅读总量不少于 100 万字。

从当前的图书市场来看，小学生图书品类虽多，但大多未做分级。从图书的内容来看，有些书籍加了拼音以降低识字难度，可文字量又太大，增加了阅读难度，并未考虑孩子的阅读力处于哪一个阶段。

阅读力的发展是有规律的。一般情况下，阅读力会随着年龄的增长而增强，但阅读力的发展受到两个重要因素的影响：阅读方法和阅读兴趣。如果阅读方法不当，就不能引起孩子的阅读兴趣，而影响阅

读兴趣的关键因素是智力和心理发育程度，因此孩子的阅读书籍应该根据其智力和心理的不同发展阶段进行分类。

教育学家研究发现，1—2 年级的孩子喜欢与大人一起朗读或阅读内容浅显的童话、寓言、故事。通过阅读，孩子能获得初步的情感体验，感受语言的优美。这一阶段要培养的阅读方法是朗读，要培养的阅读力是喜欢阅读，可以借助图画形象理解文本，初步形成良好的阅读习惯。

3—4 年级孩子的阅读力迅速增强，阅读量和阅读面开始增加和扩大。这一阶段是阅读力形成的关键期，要培养的阅读方法是默读、略读，要培养的阅读能力是阅读时要重点品味语言、感悟人物形象、表达阅读感受。

5—6 年级孩子的自主阅读能力更强，喜欢的图书更多元，对语言的品位有要求，开始建立自己的阅读趣味和评价标准。这一阶段要培养的阅读方法是浏览、扫读，要培养的阅读力是概括能力、品评鉴赏能力。

本套丛书编者秉持“助力阅读，助力成长”的理念，精挑细选、反复打磨，为每一学段的孩子制作出适合其阅读力和身心发展特点的好书。

我们由衷地希望通过这套书，能增强孩子阅读的幸福感，提升其阅读力和成长力。

学而思教研中心

目 录

危险来临 /30

青年斑比 /50

狡猾的人类 /66

悲惨的教训 /76

鹿王斑比 /94

幼年斑比

斑比出生

*

在一片美丽的森林里，有一只鹿妈妈正在生产，剧烈的疼痛让她浑身紧绷着。不远处，一群喜鹊叽叽喳喳地讨论着这件事。

过了好一会儿，小鹿终于降生了。

喜鹊们看见小鹿的身体，欢呼起来：“瞧！多么漂亮的小家伙！他的身上长着可爱的白色斑点呢！”

让喜鹊们感到神奇的是，小鹿竟用细弱的腿摇摇晃晃地支撑着自己站了起来。他晃晃悠悠

地走到鹿妈妈身旁，依偎（紧密地依靠）着她。

“太了不起了！你们鹿真厉害，刚出生就能走！真羡慕你们！”一只喜鹊对鹿妈妈说，“你要给他取什么名字呢？”

鹿妈妈笑了笑：“斑比。”

“他是不是很快就能奔跑了呢？”喜鹊们追问着。

“是的。”鹿妈妈回答，“我们改天再聊吧，我要做的事还多着呢！”

喜鹊们嘟囔了一句“真没意思”，然后就飞走了。

鹿妈妈没有理会喜鹊，她低下头，温柔地舔着小斑比的毛发，给他清洗身子。同时，鹿妈妈还不时地抬起头，用眼睛仔细看，用耳朵仔细听，直到确认安全后才继续低下头。而小斑比还什么都不懂，只是在专心地吮吸着香甜的乳汁。

lín jiān sàn bù

林间散步

*

bān bǐ màn màn de zhǎng dà le xiē tā kāi shǐ gēn suí zhe mā ma
斑比慢慢地长大了些，他开始跟随着妈妈
zài shù cóng zhōng sàn bù le
在树丛中散步了。

lù mā ma dài zhe bān bǐ shú liàn de
鹿妈妈带着斑比熟练地
chuān suō zài lù dào zhī jiān wǔ yán liù sè
穿梭在鹿道之间。五颜六色
de xiān huā sàn fā qīng xiāng de lǜ shù gè
的鲜花、散发清香的绿树、各
zhǒng jiào shēng yuè ěr de niǎo ér men sēn lín
种叫声悦耳的鸟儿们……森林
lǐ de yí qiè dōu lìng bān bǐ wú bǐ zháo mí
里的一切都令斑比无比着迷。

zài bān bǐ kàn lái jí
在斑比看来，即
shǐ shì miàn duì yì dǔ shù qiáng
使是面对一堵树墙，
mā ma yě néng hěn kuài
妈妈也能很快
zhǎo dào chū kǒu
找到出口。

所以，他总是眯着眼睛，紧紧地跟着妈妈，陶醉在这神奇愉悦的情景中。他心想：妈妈真厉害，什么都难不倒她！

有一天，斑比看着狭长（窄而长）的鹿道，不禁好奇起来：“妈妈，这条鹿道是属于谁的？”

“我的宝贝，当然是属于我们的呀！”妈妈回答。

“就属于你和我吗？”斑比接着问。

“不，是属于我们鹿的。”妈妈耐心地解释着。

斑比更不明白了：“妈妈，什么是鹿哇？”

鹿妈妈笑了笑：“你是鹿，我也是鹿，像我们这样的都是鹿。”

“噢！你是大鹿，我是小鹿。”斑比瞪着大眼睛，摇了摇脑袋，认真地说。

“对！你真棒！”鹿妈妈夸赞道。

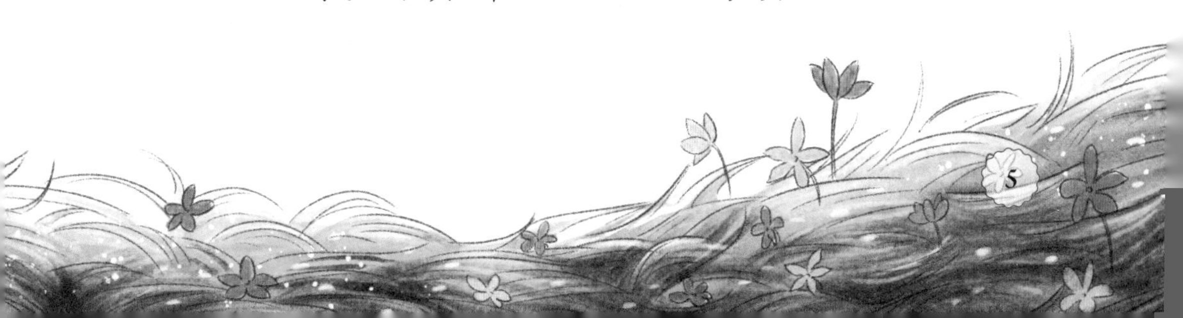

ài rě huò de shí wù
爱惹祸的食物

*

bān bǐ hé mā ma yì biān zài lù dào shàng sàn bù， yì biān chàng zhe
斑比和妈妈一边在鹿道上散步，一边唱着
huān kuài de gē
欢快的歌。

hū rán， cóng lín shēn chù chuán lái le yì shēng cǎn jiào。 bān bǐ xià
忽然，从林深处传来了一声惨叫。斑比吓
de dǒu le dǒu， tā lì mǎ duǒ zài mā ma shēn hòu wèn：“mā ma， zhè
得抖了抖，他立马躲在妈妈身后问：“妈妈，这
shì shén me shēng yīn？”
是什么声音？”

lù mā ma qīng qīng de mō le mō bān bǐ de tóu， ān wèi dào：
鹿妈妈轻轻地摸了摸斑比的头，安慰道：
“bié pà， nà shì hào zi zài jiào， tā jiù yào bèi chī diào le。”
“别怕，那是耗子在叫，他就要被吃掉了。”

bān bǐ hěn bù ān：“lù yě huì chī hào zi ma？”
斑比很不安：“鹿也会吃耗子吗？”

“yǒng yuǎn bú huì de， hái zi。” lù mā ma lián máng xiàng bān
“永远不会的，孩子。”鹿妈妈连忙向斑
bǐ jiě shì，“wǒ men zhǐ chī cǎo。”
比解释，“我们只吃草。”

tīng le mā ma de huà， bān bǐ fàng xià xīn lái。
听了妈妈的话，斑比放下心来。

kě méi zǒu duō yuǎn， bān bǐ yòu fā xiàn yǒu liǎng zhī xiǎo niǎo zài shù
可没走多远，斑比又发现有两只小鸟在树

上争吵。

“走开，这是我先看到的！”一只鸟气愤地大叫。

“我也看到了！”另一只鸟气势汹汹地反驳。

斑比皱着眉头问妈妈：“妈妈，他们为什么吵架呀？”

鹿妈妈回答：“他们是为了争食物！”

斑比觉得十分难受：食物真可恶哇，让森林变得一点儿也不友爱！

他伤心地问：“鹿也会为了食物打架吗？”

鹿妈妈连忙解释：“不会的，孩子。草地很多，我们不用争。”

学会奔跑

*

早晨，鹿妈妈对斑比说：“我们今天去青草地。”

斑比高兴地大叫起来：“太好了！”

他们穿过了一条又一条鹿道，终于来到了青草地。这里的草绿油油的，天空明亮而辽阔。

斑比迫不及待地想要蹿上草地，可鹿妈

妈却挡在前面，她伸着头，竖起耳朵，一动不动，好像在认真地听着什么。

“快走哇，快走哇，妈妈！”斑比催促道。

“斑比，草地虽然美丽，但也隐藏着很多危险。”鹿妈妈说。

“待会儿你要紧紧地跟着我。”她紧接着说，“看到我跑，你也要跟着跑，而且越快越好。不要停下来，也不要回头看。”

斑比从没见过妈妈像今天这样严肃，他不安地点了点头：“我记住了，妈妈！”

“你在这里别动，我先去看看。”鹿妈妈又叮嘱道。

她缩起身子，缓缓地向草地移动着。过了好一会儿，她才呼唤道：“来吧，斑比！”

斑比立马飞奔上草地，他一圈又一圈地跑着、跳着，感到无比满足。

热闹的草原

*

草原真美呀！

风把青草吹得痒酥酥的，草儿们“咯咯”地笑。小草之间，夹杂着五颜六色的花。白色的雏菊，红色和紫色的苜蓿花，蓝色的矢车菊，金色的蒲公英……斑比感觉自己变成了一棵小草，随着风不断地摇摆着。

他睁开眼，看到一朵花在飞，惊讶地大叫起来：“妈妈，你快看，有一朵花在飞！”

鹿妈妈被逗得哈哈大笑：“傻孩子，那是一只蝴蝶。”

斑比追着蝴蝶喊：“蝴蝶，你真美！可以停下来让我好好看看你吗？”

蝴蝶不理斑比，骄傲地仰着头飞走了。斑比忧伤地低下头，又瞧见无数小东西慌乱地爬

lái pá qù bān bǐ xià de lián máng tiào dào mā ma shēn páng mā ma
来爬去。斑比吓得连忙跳到妈妈身旁：“妈妈，
zhè shì shén me
这是什么？”

zhè shì mǎ yǐ mā ma xiào zhe huí dá tā men pái zhe
“这是蚂蚁。”妈妈笑着回答，“他们排着
cháng cháng de duì wu shì zài bān jiā ne
长长的队伍是在搬家呢！”

tā yòu zhǐ zhe bù yuǎn chù de cǎo dà hǎn mā ma nǐ kàn nà
他又指着不远处的草大喊：“妈妈，你看那
biān de cǎo tiào de duō gāo wa
边的草跳得多高哇！”

hái zi nà shì zhà měng mā ma mō mo bān bǐ de
“孩子，那是蚱蜢！”妈妈摸摸斑比的
tóu jiě shì dào
头，解释道。

cǎo yuán zhēn rè nao wa bān bǐ gǎn tàn dào
“草原真热闹哇！”斑比感叹道。

茁壮成长

白天的危险

*

这一天，斑比很早就醒了，他望着头顶星星点点的阳光，不由得躁动起来。

“妈妈，我们到草地上去玩吧！”斑比蹭了蹭鹿妈妈的背，撒娇道。

妈妈一下子将头抬起来，露出惊恐的目光，把头摇成了拨浪鼓：“不行，斑比，我们白天不能到草地上去玩！”

斑比嘟着嘴，不满地说：“为什么呀？”

“孩子，最近白天的草地非常危险。”鹿妈妈严肃地说，“我们只有在黄昏和晚上才能到草地上去，现在我们在这里才安全。”

“危险？什么是危险？”斑比很不理解，“草地上多美呀！”

“总之你记住我说的话就好了。”妈妈叮嘱着。

“好吧。那为什么现在待在这里是安全的呢？”斑比又问道。

“这里有树丛掩护，有小鸟放哨，‘危险’来了，我们能立马离开。”妈妈回答，“等你长大了，你就明白了。”

就这样，斑比打消了去草地的念头。他卧在地上，忧伤地想：“危险”为什么不和鹿做朋友呢？

jiāo péng you
交朋友

*

zhè yì tiān jiā lǐ lái kè rén le mā ma duì bān bǐ shuō bān
这一天家里来客人了。妈妈对斑比说：“斑
bǐ zhè shì yīng nà ā yí
比，这是英娜阿姨。”

nǐ hǎo bān bǐ yīng nà ā yí xiào zhe jiè shào zhè
“你好，斑比。”英娜阿姨笑着介绍，“这
shì jiě jie fēi lín zhè shì dì di guō bō
是姐姐菲林，这是弟弟郭波。”

sān gè xiǎo jiā huo de yǎn jing gū lū lū de zhuàn zhe nǐ kàn kan
三个小家伙的眼睛咕噜噜地转着，你看看
wǒ wǒ kàn kan nǐ dōu yí dòng bú dòng
我，我看看你，都一动不动。

hū rán fēi lín zòng shēn yí tiào hǎn dào lái zhuī wǒ ya
忽然，菲林纵身一跳，喊道：“来追我呀！”

bān bǐ hé guō bō lì mǎ gēn le shàng qù tā men hěn kuài jiù chéng
斑比和郭波立马跟了上去，他们很快就成
le hǎo péng you wán lèi le tā men jiù wò zài dì shàng liáo tiān
了好朋友，玩累了，他们就卧在地上聊天。

“我见过两只小鸟打架，真可怕！”斑比说。

“这算什么？有一只讨厌的刺猬扎过我的鼻子，现在还疼呢！”郭波把鼻子凑到斑比面前，委屈地说。

“刺猬？什么是刺猬呀？”斑比舔了舔郭波受伤的鼻子，问道。

“刺猬长得可丑了，全身上下长满了像针一样的东西，凶巴巴的，谁靠近他，他就扎谁！”菲林激动地比画着。

斑比哆嗦了一下，小声说：“森林里还有‘危险’呢，你们知道吗？”

菲林和郭波点了点头，害怕得缩起了身子：“妈妈说，见到‘危险’要立马跑！”

bà ba
爸爸

*

duì hái zi men lái shuō sēn lín shì zhè yàng de měi lì ér shén
对孩子们来说，森林是这样地美丽而神
mì bù yí huìr sān gè xiǎo jiā huo jiù jiāng bù kāi xīn de shì qing
秘。不一会儿，三个小家伙就将不开心的事情
pāo zài nǎo hòu le
抛在脑后了。

huà méi niǎo bù shí de hēng zhe huān lè de qǔ zi cǎo ér sàn fā
画眉鸟不时地哼着欢乐的曲子，草儿散发
zhe yòu rén de qīng xiāng bān bǐ hé huǒ bàn men nǐ zhuī wǒ gǎn yòu zài
着诱人的清香。斑比和伙伴们你追我赶，又在
cǎo dì shàng wán shuǎ qǐ lái
草地上玩耍起来。

dā dā dā
“哒哒哒……”

zhèng dāng tā men wán de qǐ jìnr shí sēn lín shēn chù chuán lái le
正当他们玩得起劲儿时，森林深处传来了
yí zhèn yǒu lì de tí shēng
一阵有力的蹄声。

zhè shì shuí de tí shēng bān bǐ tíng xià lái hào qí de
“这是谁的蹄声？”斑比停下来，好奇地
shēn cháng le bó zi zhāng wàng zhe
伸长了脖子张望着。

fēi lín hé guō bō dōu yáo yao tóu yě bǎ bó zi shēn de cháng cháng
菲林和郭波都摇摇头，也把脖子伸得长长
de wàng zhe shēng yīn chuán lái de fāng xiàng
的，望着声音传来的方向。

jiù zài zhè shí jǐ zhī qiáng zhuàng de lù cóng cǎo dì shàng fēi chí
就在这时，几只强壮的鹿从草地上飞驰

hěn kuài de pǎo ér guò tā men xiàng xuàn fēng yí yàng yí xià zi
（很快地跑）而过。他们像旋风一样，一下子
yòu xiāo shī zài sēn lín zhī zhōng le
又消失在森林之中了。

bān bǐ mù dèng kǒu dāi dèng dà yǎn jing shuō bù chū huà mù
斑比目瞪口呆（瞪大眼睛说不出话），目
guāng jǐn jǐn de zhuī suí zhe nà líng huó de shēn yǐng
光紧紧地追随着那灵活的身影。

tā men shì shuí bān bǐ de yǎn shén lǐ chōng mǎn le xiàng wǎng
“他们是谁？”斑比的眼神里充满了向往。

yīng nà ā yí zǒu guò lái shuō nà shì nǐ men de bà ba
英娜阿姨走过来，说：“那是你们的爸爸。”

bān bǐ yōu shāng de xiǎng bà ba de lù jiǎo kàn qǐ lái zhēn qiáng
斑比忧伤地想：爸爸的鹿角看起来真强
zhuàng wèi shén me wǒ zhǎng de bú xiàng bà ba ne
壮！为什么我长得不像爸爸呢？

tā xiǎng zhe xīn shì lián yīng nà ā yí xiàng tā dào bié
他想着心事，连英娜阿姨向他道别
dōu méi tīng dào
都没听到。

bān bǐ zhǎng dà le
斑比长大了

*

shuì jiào qián bān bǐ yī wēi zhe mā ma zhōng yú wèn chū le tā
睡觉前，斑比依偎着妈妈，终于问出了他
sī kǎo hěn jiǔ de wèn tí mā ma wèi shén me bà ba bù hé wǒ men
思考很久的问题：“妈妈，为什么爸爸不和我们
yì qǐ shēng huó ne shì bú shì wǒ bú gòu tīng huà
一起生活呢？是不是我不够听话？”

mā ma qīng qīng de wěn le wěn tā de é tóu ān wèi dào shǎ
妈妈轻轻地吻了吻他的额头，安慰道：“傻
hái zi nǐ shì zuì tīng huà zuì dǒng shì de hái zi děng nǐ zhǎng dà
孩子，你是最听话、最懂事的孩子。等你长大
le bà ba jiù huì cháng cháng hé nǐ shēng huó zài yì qǐ de
了，爸爸就会常常和你生活在一起的。”

zhǎng dà hǎo xiǎng kuài diǎnr zhǎng dà ya bān bǐ qīng shēng
“长大？好想快点儿长大呀！”斑比轻声
dū nang zhe
嘟囔着。

他闭上眼睛，脑海里全是爸爸矫健的身影。现在，快点儿长大对斑比的吸引力比去草地上玩更大。

时间像河水一般哗啦啦地流走了，斑比在不知不觉中长大了。

瞧，他已经学会辨别各种各样的声音了，也懂得如何嗅空气了。现在的他习惯了在晚上玩耍，奔跑的速度也变得越来越快。

每当他和妈妈并肩奔跑时，斑比总在心里想：下一次是不是就能跑得和爸爸一样快了呢？

渐渐地，斑比交了更多的新朋友，仓鸮（一种猫头鹰，俗称猴面鹰）是其中最要好的一个。他们彼此逗乐，生活得十分幸福。

妈妈们的教育

*

妈妈不爱我了！

斑比看着妈妈又丢下自己独自往前走，难过地想。

他向前跑了几步，追上妈妈，问：“妈妈，为什么你现在总是独自出去？”

鹿妈妈推开他，严肃地说：“斑比，你已经长大了，不要总是黏着我。”

有一天，斑比醒来，发现妈妈不见了。

他无法相信这个残酷的事实，眼泪啪嗒啪嗒地掉着，一边跑，一边大声呼喊着：“妈妈，妈妈，你在哪儿？”

斑比跑过一条又一条鹿道，妈妈却始终没出现。

他呜咽着，耷拉着脑袋，漫无目的（形容

méi yǒu mù biāo de zǒu zhe jiù zài zhè shí lù dào de lìng yì biān
没有目标）地走着。就在这时，鹿道的另一边
chuán lái le yí zhèn kū shēng
传来了一阵哭声。

bān bǐ zǒu guò qù yí kàn yuán lái shì guō bō hé fēi lín tā
斑比走过去一看，原来是郭波和菲林，他
men de mā ma yě bú jiàn le
们的妈妈也不见了。

wǒ yào mā ma wǒ yào mā ma guō bō kū de shàng
“我要妈妈，我要妈妈……”郭波哭得上
qì bù jiē xià qì
气不接下气。

fēi lín lián máng ān wèi dào dì di bié kū le zhè yàng kū
菲林连忙安慰道：“弟弟，别哭了，这样哭
yě bù néng bǎ mā ma kū huí lái ya
也不能把妈妈哭回来呀！”

bān bǐ jiàn zhuàng yě rěn zhù le bēi shāng quàn dào shuō bú
斑比见状，也忍住了悲伤，劝道：“说不
dìng wǒ men de mā ma qù zhǎo bà ba le
定我们的妈妈去找爸爸了！”

yú shì tā men gè zì tà shàng le xún zhǎo mā ma de lǚ tú
于是，他们各自踏上了寻找妈妈的旅途。

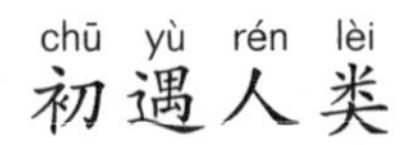

chū yù rén lèi
初遇人类

*

nán guò de bān bǐ dú zì chuān guò shù cóng hé cǎo dì, zuì hòu tíng zài yì kē dà shù páng
难过的斑比独自穿过树丛和草地，最后停在一棵大树旁。

méi yǒu mā ma de péi bàn, cǎo dì hé sēn lín dōu bú zài xī yǐn bān bǐ
没有妈妈的陪伴，草地和森林都不再吸引斑比。

tā gǎn jué shēn tǐ shí fēn pí bèi, yí bù yě bù xiǎng zǒu le. cāng xiāo nà qí guài de jiào shēng yì zhí huí dàng zài ěr páng, kě tā yě méi xīn si dā li le
他感觉身体十分疲惫，一步也不想走了。仓鸮那奇怪的叫声一直回荡在耳旁，可他也没心思搭理了。

bú duì, zhè shì shén me wèi dào?
不对，这是什么味道？

bān bǐ chōu le chōu bí zi, zǐ xì de xiù le xiù, kōng qì zhōng jìng rán
斑比抽了抽鼻子，仔细地嗅了嗅，空气中竟然

yǒu yì gǔ xuè xīng wèi
有一股血腥味。

tā shēn le shēn bó zi shùn zhe wèi
他伸了伸脖子，顺着味

dào wàng qù fā xiàn yǒu yí gè mò shēng de guài jiā huo
道望去，发现有一个陌生的怪家伙

zhèng duǒ zài yì kē dà shù hòu miàn
正躲在一棵大树后面。

nà jiā huo liǎn sè cāng bái bù tíng de chuǎn
那家伙脸色苍白，不停地喘

zhe cū qì kàn qǐ lái xiōng bā bā de gèng qí
着粗气，看起来凶巴巴的。更奇

guài de shì tā yòng liǎng tiáo tuǐ zǒu lù ér
怪的是，他用两条腿走路，而

qiě tā zǒu lù de shí hou shēn tǐ hé
且他走路的时候，身体和

dì miàn shì chuí zhí de
地面是垂直的。

bān bǐ cóng lái méi kàn dào guo zhè yàng de dòng wù tā hái zhù yì
斑比从来没看到过这样的动物。他还注意

dào nà jiā huo zài xiōng qián jǔ zhe yì gēn cháng mù bàng shì de dōng xi
到，那家伙在胸前举着一根长木棒似的东西，

yǎn jing mī chéng yì tiáo fèng sǐ sǐ de dīng zhù qián miàn de yí piàn kòng
眼睛眯成一条缝，死死地盯住前面的一片空

dì hǎo xiàng zài děng dài shén me dōng xi chū xiàn
地，好像在等待什么东西出现。

hū rán tā xiǎng qǐ le mā ma shuō de wēi xiǎn
忽然，他想起了妈妈说的“危险”。

tā hài pà jí le gōng qǐ shēn zi chèn nà jiā huo bú zhù
他害怕极了，弓起身子，趁那家伙不注

yì bá tuǐ jiù wǎng sēn lín shēn chù pǎo
意，拔腿就往森林深处跑。

逃跑

*

正当斑比拼命奔跑的时候，妈妈忽然出现了。她忧愁地望了一眼斑比，仿佛在说：“‘危险’还在，快跑！”

他们来不及说话，互相交换了眼神就继续奔跑。风在耳边发出“呼呼”的声音，看到妈妈回到自己的身边，斑比觉得身体里又充满了力量。

tā jǐn jǐn de gēn zhe mā ma de bù fá yì kǒu qì pǎo huí le jiā
他紧紧地跟着妈妈的步伐，一口气跑回了家。

bān bǐ cóng lái méi yì kǒu qì pǎo guo zhè me yuǎn de lù tā dà
斑比从来没一口气跑过这么远的路，他大
kǒu dà kǒu de chuǎn zhe qì lèi de shuō bù chū huà lái
口大口地喘着气，累得说不出话来。

mā ma yě lèi de qì chuǎn xū xū xíng róng láo lèi dào jí
妈妈也累得气喘吁吁（形容劳累到极
diǎn tā wèn bān bǐ nǐ fā xiàn wēi xiǎn le ma
点），她问斑比：“你发现‘危险’了吗？”

bān bǐ yì xiǎng qǐ nà kě pà de jiā huo jiù rěn bú zhù fā dǒu
斑比一想起那可怕的家伙就忍不住发抖，
jí máng wèn nà jiù shì wēi xiǎn ma
急忙问：“那就是‘危险’吗？”

lù mā ma yě wú fǎ yǎn shì duì wēi xiǎn de kǒng jù shēn
鹿妈妈也无法掩饰对“危险”的恐惧，身
tǐ chàn dǒu zhe shuō shì de
体颤抖着，说：“是的。”

wǒ men bái tiān bù néng dào cǎo dì shàng wán shuǎ jiù shì yīn wèi
“我们白天不能到草地上玩耍，就是因为
tā ma bān bǐ hū rán míng bai le mā ma dāng chū shuō de huà
他吗？”斑比忽然明白了妈妈当初说的话。

shì de lù mā ma yán sù de shuō
“是的。”鹿妈妈严肃地说。

wèi shén me tā yòng liǎng tiáo tuǐ zǒu lù wa bān bǐ shí fēn
“为什么他用两条腿走路哇？”斑比十分
bù jiě
不解。

yīn wèi tā shì rén wǒ men shì lù wǒ men bù yí yàng
“因为他是人，我们是鹿，我们不一样。”
lù mā ma jiě shì zhe
鹿妈妈解释着。

lǎo gōng lù de xùn chì

老公鹿的训斥

*

zài nà zhī hòu lù mā ma réng rán jīng cháng dú zì wài chū wú
在那之后，鹿妈妈仍然经常独自外出，无
lùn bān bǐ zěn me shuō dōu zǔ zhǐ bù liǎo
论斑比怎么说都阻止不了。

zhè yì tiān mā ma yòu chū mén le bān bǐ dú zì zài sēn lín
这一天，妈妈又出门了。斑比独自在森林
lǐ xián guàng fēi cháng xiǎng niàn tā de péi bàn
里闲逛，非常想念她的陪伴。

mā ma nǐ qù le nǎ lǐ tā bù yóu de dà hǎn qǐ
“妈妈，你去了哪里？”他不由得大喊起
lái mā ma
来，“妈妈……”

jiù zài zhè shí yì zhī lǎo gōng lù chū xiàn zài bān bǐ miàn qián
就在这时，一只老公鹿出现在斑比面前。
tā zhǎng de gāo dà wēi měng shēn hóng sè de lù pí yì yì fā guāng xiān
他长得高大威猛，深红色的鹿皮熠熠发光（鲜
yào de fā zhe guāng tā de lù jiǎo yòu liàng yòu yìng jiù xiàng shàng cì
耀地发着光），他的鹿角又亮又硬，就像上次
bān bǐ zài cǎo dì shàng yù dào de nà qún lù yí yàng
斑比在草地上遇到的那群鹿一样。

xiǎo jiā huo nǐ zài hǎn shén me lǎo gōng lù hē chì dào
“小家伙，你在喊什么？”老公鹿呵斥道。

wǒ wǒ zài jiào wǒ de mā ma tā xiǎo shēng huí
“我……我在叫我的妈妈……”他小声回
dá zhe xiǎn de hěn hài pà
答着，显得很害怕。

shén me shēng yīn xì de xiàng wén zi jiào wǒ tīng bù qīng
“什么？声音细得像蚊子叫，我听不清！”

lǎo gōng lù dà hǎn dào
老公鹿大喊道。

wǒ zài zhǎo mā ma bān bǐ bèi xià de zhí duō suo zhǐ
“我在找妈妈！”斑比被吓得直哆嗦，只

dé dà hǎn zhe huí dá
得大喊着回答。

zhēn yǒu yì si lǎo gōng lù xiào dào nǐ wèi shén me zhǎo
“真有意思！”老公鹿笑道，“你为什么找

mā ma
妈妈？”

wǒ yǒu shì hé tā shāngliang bān bǐ biàn jiě dào
“我……有事和她商量……”斑比辩解道。

lǎo gōng lù xiào de gèng lì
老公鹿笑得更厉

hai le gè zi zhè me gāo
害了：“个子这么高

le hái zǒng kū zhe hǎn zhe zhǎo mā
了，还总哭着喊着找妈

ma zhēn bù zhī xiū
妈，真不知羞！”

shuō wán tā jiù zhuǎn shēn zǒu jìn le
说完，他就转身走进了

sēn lín
森林。

亲王传说

*

此后，每当妈妈外出时，斑比总是努力积极地独自生活，他变得更加坚强了。

有一次，斑比在草地上遇到菲林和郭波，他便骄傲地将自己的经历分享给两位小伙伴。

没过几天，菲林就摇着尾巴，神秘地对斑比说：“你不知道吧？上次你看到的那只老公鹿是一位老亲王！”

斑比虽然内心迫不及待地想听下去，却假

装漫不经心地问："然后呢？"

"这位老亲王可是咱们森林中最威风的公鹿！"菲林得意地说，"大家都不知道他的年龄，也不清楚他住在哪里，他总是独来独往，也从不随便说话。"

斑比暗暗得意起来。菲林接着说："没有鹿知道他有没有家，他走的鹿道只属于他。"

"还有呢？"斑比激动地追问。

"他熟悉森林的每一个角落，从不害怕'危险'。听说，每次'危险'来了，他都能安全脱险。"菲林说，"最令我敬佩的是，他从不欺负弱者。"

斑比听呆了，他更加崇拜这只神秘的老公鹿了。

危险来临

同伴遇险

*

今天天气真好哇！

阳光暖暖地照在身上，动物们都被晒得懒洋洋的。瞧，野兔在林间跳来跳去，斑马慢悠悠地吃着草，时不时还传来黄鹂轻柔的歌声。大森林中的一切都显得这么和谐。

bān bǐ zhèng zài lín jiān sàn bù hū rán tā fā xiàn guō bō hé
斑比正在林间散步，忽然，他发现郭波和
fēi lín cóng lìng yì biān pǎo guò lái
菲林从另一边跑过来。

hēi huǒ bàn men wǒ yě yào cān jiā yóu xì bān bǐ
“嘿，伙伴们，我也要参加游戏！”斑比
gāo xìng de hǎn zhe cháo tā men pǎo qù
高兴地喊着，朝他们跑去。

kě hái méi pǎo jǐ bù jiù tīng dào pēng de yì shēng jù
可还没跑几步，就听到“砰”的一声巨
xiǎng bān bǐ méi yǒu fáng bèi bèi zhè xiǎng shēng zhèn de tuǐ dǎ chàn chà
响。斑比没有防备，被这响声震得腿打颤，差
diǎnr shuāi dǎo zài dì
点儿摔倒在地。

zhè shí tā kàn dào yì zhī nián qīng de gōng lù yí yuè ér qǐ
这时，他看到一只年轻的公鹿一跃而起，
táo mìng shì de pǎo huí sēn lín dòng wù men dōu bèi xià huài le fēn fēn
逃命似的跑回森林。动物们都被吓坏了，纷纷
wǎng yǐn bì de dì fang táo qù
往隐蔽的地方逃去。

bān bǐ bèi xià de suō chéng yì tuán tā zhī dào bú xìng de shì
斑比被吓得缩成一团，他知道，不幸的事
jiù yào fā shēng le
就要发生了。

hái zi men kuài pǎo bù yuǎn chù mā ma men jí qiè
“孩子们，快跑！”不远处，妈妈们急切
de hū huàn zhe bān bǐ tā men
地呼唤着斑比他们。

tā zhèng yào zhuǎn shēn pǎo huí sēn lín jiù kàn dào gāng cái nà zhī gōng
他正要转身跑回森林，就看到刚才那只公
lù tǎng zài dì shàng yí dòng bú dòng xiàng shì shuì zháo le
鹿躺在地上一动不动，像是睡着了。

恐慌

*

斑比终于追上了妈妈，他浑身颤抖着，喘着粗气，惊恐地问：“刚刚是什么声音？”

“是枪声。”妈妈说，“是上次你看到的木棒似的东西发出来的。”

斑比有满脑子的问题想问妈妈，但妈妈一个劲儿地奔跑，他只得紧紧地跟着。

他们跑哇，跑哇，最后停在一片浓密的丛林里。慢慢地，动物们都聚在了这里。

“人类没有靠近我们，为什么那只公鹿会倒在血泊中？”斑比问。

可惜，大家都被吓坏了，谁也没回答他。

“我一直大声提醒他，但他没有理会我。”喜鹊惋惜地说。

“我叫了他几十遍，他看都没看我一眼，

yě tài ào màn le cāng xiāo shuō
也太傲慢了！”仓鸮说。

wǒ de sǎng mén zuì dà dàn tā yě méi lǐ cǎi wǒ yí
“我的嗓门最大，但他也没理睬我。”一
xiàng bù hé qún de wū yā yě kāi le kǒu
向不合群的乌鸦也开了口。

tā zhēn shì gè dà bèn dàn fēng niǎo qīng miè de shuō
“他真是个大笨蛋！”蜂鸟轻蔑地说。

zhè shí lù mā ma dǎ duàn le dà jiā de huà bú shì tā tài
这时，鹿妈妈打断了大家的话：“不是他太
ào màn tài bèn ér shì wēi xiǎn tài lì hai le
傲慢、太笨，而是‘危险’太厉害了。”

zǒng zhī yǐ hòu wǒ men yào shí shí dī fang shuō wán
“总之，以后我们要时时提防。”说完，
cāng xiāo jiù pāi zhe chì bǎng bēi shāng de fēi zǒu le
仓鸮就拍着翅膀，悲伤地飞走了。

dú lì shēng huó

独立生活

*

dòng wù men dōu sàn le mā ma yě bú jiàn le bān bǐ dú zì
动物们都散了，妈妈也不见了，斑比独自
zài cóng lín shēn chù lái huí zǒu dòng
在丛林深处来回走动。

wēi xiǎn hé wǒ men yǒu shén me chóu hèn ma wèi shén me tā
“危险”和我们有什么仇恨吗？为什么他
bù hé dòng wù men zuò péng you ne
不和动物们做朋友呢？

bān bǐ zěn me yě xiǎng bù míng bai bù jīn shēn shēn de tàn le yì
斑比怎么也想不明白，不禁深深地叹了一
kǒu qì ài
口气：“唉……”

nǐ tàn shén me qì zhè shí lǎo gōng lù yòu hū rán chū
“你叹什么气？”这时，老公鹿又忽然出
xiàn le mā ma bú jiàn le nǐ yòu wèi cǐ gǎn dào nán guò ma
现了，“妈妈不见了，你又为此感到难过吗？”

bù bān bǐ tái qǐ tóu jiān dìng de shuō wǒ yǐ jīng
“不。”斑比抬起头，坚定地说，“我已经
zhǎng dà le kě yǐ dú lì shēng huó le
长大了，可以独立生活了。”

lǎo gōng lù xīn wèi de xiào le xiào nà yǐ hòu nǐ zài yě bù néng
老公鹿欣慰地笑了笑：“那以后你再也不能
kū zhe bí zi qù zhǎo mā ma le
哭着鼻子去找妈妈了。”

dāng rán bān bǐ diǎn diǎn tóu
“当然。”斑比点点头。

hái zi nǐ zài wèi wǒ shàng cì de zé bèi ér shēng qì
“孩子，你在为我上次的责备而生气

吗？”老公鹿温和地说。

“没有。当时我很害怕孤独。”斑比崇敬地看着他，“但在那之后，我长大了。”

“好样的！”老公鹿赞许道。

“您能告诉我，那只年轻的公鹿到底怎么了吗？”斑比鼓起勇气问。

“孩子，你要学会自己观察，这才是真正的独立生活。”说完，老公鹿就朝那条隐蔽的鹿道走去了。

艰苦的寒冬

*

冬天来了。树木变得光秃秃的，寒风吹在身上冷飕飕的，像冰刀在身上划。

斑比常常觉得浑身湿漉漉的，他那光滑美丽的红皮毛不再能给他温暖。即便如此，他还是得冒着雨四处寻找食物。

更难受的是，他再也不能好好睡觉了。曾经将他保护起来的绿叶消失了，他不得不时刻保持警惕，以防“危险”偷袭。

有一天，天空阴沉沉的，乌云仿佛要压到地上来。不一会儿，白色的雪花就纷纷扬扬地从空中落下来。

雪越下越大，森林很快就被白雪覆盖了，像是全部换上了白色外套。

“好美呀！”斑比从来没见过雪，他兴奋

地跑到雪地里玩耍起来。

可没过多久，斑比就高兴不起来了。雪把草都盖住了，更难找到食物了。

最令斑比头疼的是，积雪融化后，雪水会在夜晚变成冰。薄冰很容易破碎，锋利的碎片常常会划破他的脚趾。

听说，郭波的脚已经被冰划伤了，连路都不能走了。

dōng rì xián tán
冬日闲谈

*

dōng tiān hěn wú qù yīng nà ā yí cháng cháng dài zhe guō bō hé fēi lín lái zhǎo bān bǐ néng hé péng you men jù zài yì qǐ liáo tiān zhè shì dōng tiān lǐ zuì ràng bān bǐ gāo xìng de shì
冬天很无趣，英娜阿姨常常带着郭波和菲林来找斑比。能和朋友们聚在一起聊天，这是冬天里最让斑比高兴的事。

xū guō bō kě jiāo qì le yù dào yì diǎnr xiǎo shì yě huì dà jīng xiǎo guài bān bǐ zài xīn lǐ zhè yàng xiǎng zhe
嘘，郭波可娇气了，遇到一点儿小事也会大惊小怪！斑比在心里这样想着。

zhè shí yì zhī jiào mǎ lín nà de xiǎo mǔ lù hé yì zhī lǎo mǔ lù āi tè lā yě
这时，一只叫玛琳娜的小母鹿和一只老母鹿埃特拉也

jiā rù le liáo tiān zhèn yíng tā men jiǎng zhe bǐ cǐ jiàn dào de yǒu qù de
加入了聊天阵营。他们讲着彼此见到的有趣的
shì dà jiā dōu hěn kāi xīn
事，大家都很开心。

gèng lìng bān bǐ gāo xìng de shì qīn wáng men cháng lái tàn wàng tā
更令斑比高兴的是，亲王们常来探望他
men yǒu shí hou tā men hái huì zuò xià lái hé dà jiā liáo tiān
们。有时候，他们还会坐下来和大家聊天。

yǒu yí cì yí gè jiào lǎng nuò de bǒ tuǐ qīn wáng gěi xiǎo lù men
有一次，一个叫朗诺的跛腿亲王给小鹿们
jiǎng zì jǐ de yù xiǎn jīng lì xiǎo lù men nǐ men zhī dào ma nà
讲自己的遇险经历：“小鹿们，你们知道吗？那
yí cì wǒ chà diǎnr méi mìng le
一次，我差点儿没命了！”

tā cháo wǒ rēng le yí gè huǒ qiú zhèng hǎo dǎ zhòng le wǒ de
“他朝我扔了一个火球，正好打中了我的
zuǒ tuǐ wǒ de tuǐ yí xià zi jiù xiān xuè zhí liú lǎng nuò zì háo de
左腿，我的腿一下子就鲜血直流。”朗诺自豪地
shuō dàn shì wǒ sī háo méi yǒu tíng xià lái ér shì yòng jìn le lì qì
说，“但是我丝毫没有停下来，而是用尽了力气
pīn mìng pǎo zuì hòu wǒ zhǎo dào yí gè yǐn bì de dì fang duǒ le qǐ
拼命跑。最后，我找到一个隐蔽的地方躲了起
lái zài nà lǐ zhì hǎo le shāng
来，在那里治好了伤。”

zhēn shì tài jīng xiǎn le bān bǐ gǎn tàn dào
“真是太惊险了！”斑比感叹道。

suī rán lǎng nuò biàn bǒ le dàn tā shì gè zhēn zhèng de yǒng shì
虽然朗诺变跛了，但他是个真正的勇士。

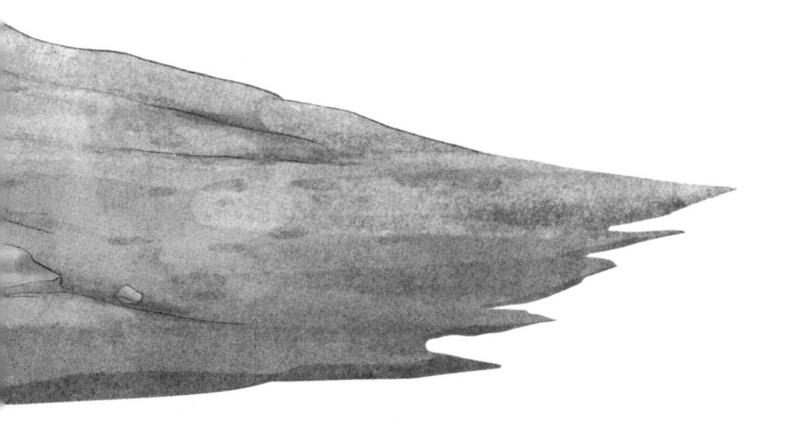

共同的愿望

*

鹿们聚在一起，大家最爱谈论的话题就是“危险”。

“他的第三只手看起来像一根很长的木棍。但这根木棍会射出火球一样的东西。”见过枪的亲王卡洛斯说。

“是呀！我的腿就是被它射伤的！”朗诺气愤地说。

“乌鸦告诉我，‘危险’常常躲在树后面监视着森林。”卡洛斯接着说，“他还分辨出了‘危险’什么时候最可怕。”

大家都屏住了呼吸，竖起耳朵听着。斑比忍不住催促道：“快说来听听。”

“乌鸦说，‘危险’有枪时最厉害，要是他没了枪，就一点儿也不可怕。”卡洛斯认真地说。

“哈哈，”埃特拉大笑起来，“他难道不知道‘危险’向来就很可怕吗？”

卡洛斯无奈地叹了一口气：“唉，‘危险’为什么要追捕我们呢？”

大家都沉默了，过了好一会儿，玛琳娜轻声说着：“我想，总会有那么一天，我们能和他们和平相处的。”

这天晚上，所有的鹿都梦见他们和人类成了好朋友。

sēn lín cǎn shì
森林惨事

*

sēn lín zài yě huí bú dào yǐ qián de hé píng ān xiáng le dòng wù
森林再也回不到以前的和平安详了，动物
men hù xiāng cán shā de shì jiàn jiē èr lián sān de fā shēng
们互相残杀的事件接二连三地发生。

wū yā chèn yě tù mā ma bú zài chī diào le dú zì zài jiā de
乌鸦趁野兔妈妈不在，吃掉了独自在家的
bìng ruò xiǎo yě tù xǐ què bǎ shuāi sǐ de bái yòu dàng zuò wǎn cān sōng
病弱小野兔；喜鹊把摔死的白鼬当作晚餐；松
shǔ men wèi le zhēng duó shí wù dǎ de bù kě kāi jiāo
鼠们为了争夺食物打得不可开交……

zhè ge dōng tiān tài nán áo le lù mā ma bēi tòng de shuō
“这个冬天太难熬了！”鹿妈妈悲痛地说。

shì ya měi hǎo de shēng huó jiù zhè yàng yí qù bú fù fǎn
“是呀！美好的生活就这样一去不复返
le yīng nà ā yí yě tàn qì dào
了！”英娜阿姨也叹气道。

大家你看看我，我看看你，都不再说话。

过了好一会儿，埃特拉打破了沉默，问英娜："小郭波最近怎么样了？他看起来身体不太好。"

英娜阿姨语气沉重地说："他最近总是发抖。"果然，这小家伙的身子不住地颤抖，站都站不稳了。

"请原谅我的直率，郭波恐怕挨不过这个冬天了。"老母鹿埃特拉说。

大家都很担心郭波，可是，谁也想不出好办法来帮他。

"最近我总有一种不好的预感，总觉得灾难就要到来了。"朗诺忽然从雪地里跳起来，警惕地环顾着周围说，"大家都小心些吧！"

zāi nàn
灾难

*

tīng shì wū yā de jiào shēng mǎ lín nà tū rán dà hǎn
“听，是乌鸦的叫声！”玛琳娜突然大喊。

dà jiā lì kè tái tóu xiàng tiān kōng wàng qù wū yā men chéng qún jié
大家立刻抬头向天空望去，乌鸦们成群结
duì de fēi lái zuǐ lǐ hái bù tíng de guā guā jiào zhe
队地飞来，嘴里还不停地呱呱叫着。

sēn lín de lìng yì biān xǐ què bù tíng de hǎn zhe dāng xīn
森林的另一边，喜鹊不停地喊着：“当心，
dāng xīn na
当心哪……”

fēng niǎo yě fa chu yòu jiān yòu xiǎng de shēng yīn wēi xiǎn wēi
蜂鸟也发出又尖又响的声音：“危险，危
xiǎn
险……”

guǒ rán wēi xiǎn lái le bù yí huìr kōng qì lǐ jiù chuán
果然，危险来了！不一会儿，空气里就传
lái yì gǔ xuè xīng wèi
来一股血腥味。

wǒ men gǎn kuài táo ba guō bō fēi lín nǐ men jǐn jǐn
“我们赶快逃吧！郭波，菲林，你们紧紧

地跟着我。”英娜阿姨对孩子们说。

可是，这糟糕的天气对他们太不利了。地上的积雪正在融化，路面很滑，他们跑不快。

森林里所有的居民都慌乱了起来，大家各自匆忙地奔逃着。卡洛斯亲王看到四处乱跑的野兔，连忙问：“发生什么事了？”

“啊……我们，已经被包围了……到处都是人，他们还带着那可怕的会冒火的木棒。”野兔上气不接下气地说。

整个森林充满了血腥味，这一次，“危险”可不止一个。

一场真正的灾难就要发生了。

dà táo wáng
大逃亡

*

hā hā xiào shēng yí zhèn jiē yí zhèn de chuán lái
“哈哈！”笑声一阵接一阵地传来。

tā men jǔ qǐ qiāng pēng pēng de shēng yīn jiē lián bú duàn měi yì shēng jù xiǎng dōu yì wèi zhe yí gè huǒ bàn de sǐ wáng
他们举起枪，“砰砰”的声音接连不断，每一声巨响都意味着一个伙伴的死亡。

mā ma bān bǐ bèi xià de bù gǎn dòng tan tā jǐn jǐn de kào zhe lù mā ma
“妈妈……”斑比被吓得不敢动弹，他紧紧地靠着鹿妈妈。

lù mā ma jiàn zhuàng dà shēng hǎn jǐn jǐn gēn zhe wǒ
鹿妈妈见状，大声喊：“紧紧跟着我！”

yě tù jiù zài hú li miàn qián kě hú li què méi xīn si lǐ huì zhè měi shí zhǐ gù zhe dào chù duǒ cáng jīng huāng shī cuò xià de huāng le shǒu jiǎo bù zhī rú hé shì hǎo de dòng wù men sì chù luàn cuàn sēn lín lǐ quán shì jué wàng de jiào hǎn shēng
野兔就在狐狸面前，可狐狸却没心思理会这美食，只顾着到处躲藏。惊慌失措（吓得慌了手脚，不知如何是好）的动物们四处乱窜，森林里全是绝望的叫喊声。

yì zhī yě jī fā le fēng shì de biān pǎo biān dà jiào qiān wàn bié
一只野鸡发了疯似的边跑边大叫：“千万别
fēi qǐ lái fēi qǐ lái jiù huì bèi dǎ zhòng de
飞起来，飞起来就会被打中的！”

tā gāng shuō wán hū rán chuán lái yì shēng jù xiǎng yì zhī fēi qǐ
他刚说完，忽然传来一声巨响，一只飞起
lái de yě jī jiù bèi dǎ luò zài dì shàng le
来的野鸡就被打落在地上了。

bèi zhè shēng yīn yí xià gèng duō de yě jī fēi le qǐ lái bú
被这声音一吓，更多的野鸡飞了起来。不
xìng de shì tā men yě dōu bèi huǒ qiú dǎ zhòng cóng kōng zhōng zhòng zhòng
幸的是，他们也都被火球打中，从空中重重
de shuāi le xià lái
地摔了下来。

hōng pēng kě pà de shēng yīn bú duàn de zài sēn lín
“轰……砰！”可怕的声音不断地在森林
shàng kōng huí xiǎng
上空回响。

lǎng nuò kǎ luò sī hé āi tè lā bù zhī dào qù le nǎ lǐ
朗诺、卡洛斯和埃特拉不知道去了哪里，
mǎ lín nà bèi xià huài le tā jǐn jǐn de gēn zhe bān bǐ de mā ma
玛琳娜被吓坏了，她紧紧地跟着斑比的妈妈，
yí bù yě bù gǎn lí kāi
一步也不敢离开。

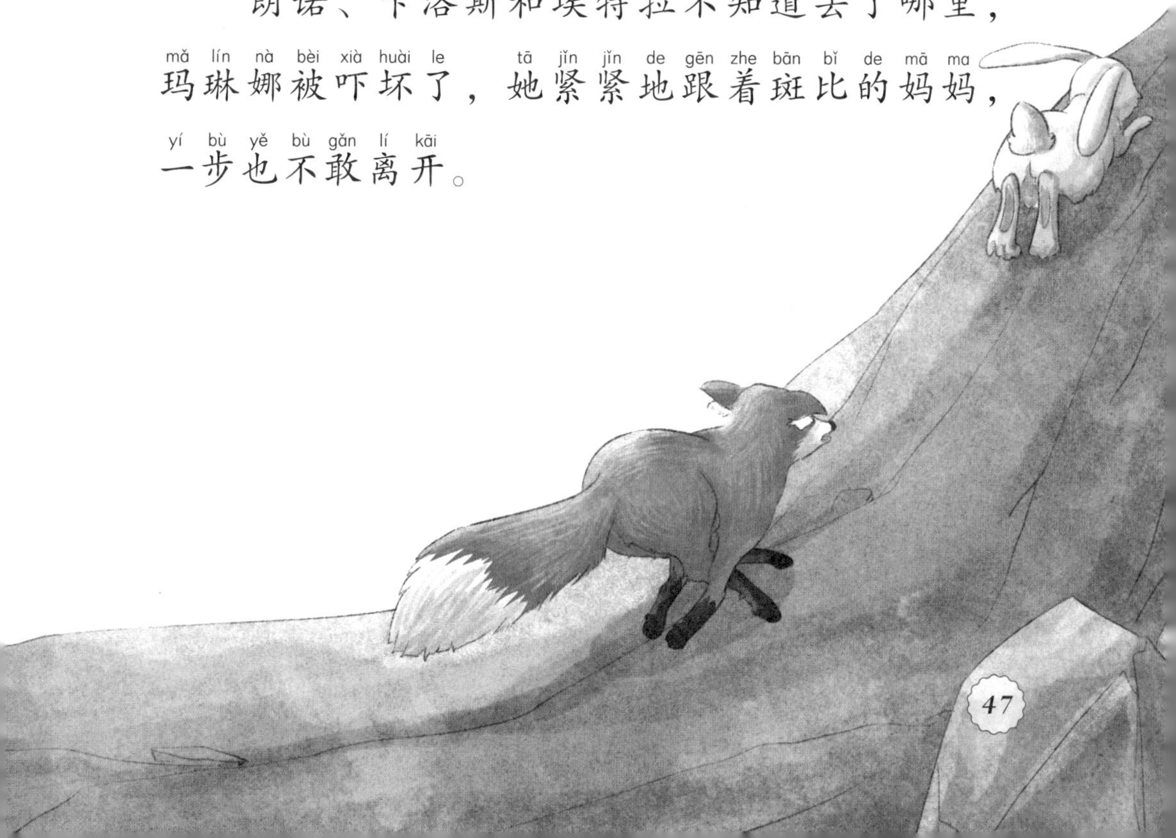

妈妈消失了

*

“当心，别乱跑，斑比。”鹿妈妈努力使自己镇定，“我们要冲到远处更深的那片森林里去。现在，我们必须慢慢地走。”

“孩子，勇敢一点儿，你是男子汉。”她亲了亲斑比，安慰道。

“还记得妈妈说过的话吗？奔跑时，即使我倒下了，你也不准停下。”鹿妈妈接着说。

斑比点点头，他跟着妈妈一点点地挪动着脚步。

走着走着，他们终于看到树丛外面的空地

le zhǐ yào chuān guò zhè piàn kòng dì tā men jiù néng dào dá nà piàn xiāng
了。只要穿过这片空地，他们就能到达那片相
duì ān quán de sēn lín zhōng
对安全的森林中。

hēi hē qí guài de hǒu jiào shēng hái zài sì chù huí
“嘿……嗬！”奇怪的吼叫声还在四处回
dàng zhe dòng wù men huāng bù zé lù qíng kuàng jǐn jí gù bú shàng xuǎn
荡着，动物们慌不择路（情况紧急，顾不上选
zé lù de táo mìng yǒu zhī yě tù shèn zhì zhuàng dào shù gàn bǎ zì
择路）地逃命。有只野兔甚至撞到树干，把自
jǐ gěi zhuàng yūn le
己给撞晕了。

hái zi kuài pǎo huà yīn gāng luò lù mā ma jiù cuān
“孩子，快跑！”话音刚落，鹿妈妈就蹿
le chū qù
了出去。

bān bǐ jiàn zhuàng yě jǐn gēn zhe zòng shēn yí tiào fēi kuài de xiàng
斑比见状，也紧跟着纵身一跳，飞快地向
sēn lín pǎo qù měi dāng tā xiǎng tíng xià lái kàn mā ma zài nǎr shí
森林跑去。每当他想停下来看妈妈在哪儿时，
mā ma de shēng yīn jiù huì xiǎng qǐ kuài pǎo bān bǐ bié tíng
妈妈的声音就会响起：“快跑！斑比，别停！”

bān bǐ yì kǒu qì pǎo jìn le sēn lín shēn chù kě shì mā ma què
斑比一口气跑进了森林深处，可是妈妈却
chí chí méi yǒu huí lái
迟迟没有回来。

lù mā ma zài yě méi yǒu huí lái xiǎo guō bō yě bú jiàn
鹿妈妈再也没有回来，小郭波也不见
le zài zhè cháng zāi nàn zhōng xǔ duō dòng wù dōu shī qù le qīn rén
了。在这场灾难中，许多动物都失去了亲人
hé péng you
和朋友。

qīng nián bān bǐ
青年斑比

zhú jiàn qiáng zhuàng de bān bǐ
逐渐强壮的斑比

*

pàn wàng zhe pàn wàng zhe kě pà de dōng tiān zhōng yú guò qù le
盼望着，盼望着，可怕的冬天终于过去了。

suí zhe chūn tiān de dào lái sēn lín yòu zhú jiàn huī fù le shēng jī shù fā yá le cǎo dì yě màn màn biàn lǜ le niǎo ér men yòu kāi shǐ chàng gē le
随着春天的到来，森林又逐渐恢复了生机。树发芽了，草地也慢慢变绿了，鸟儿们又开始唱歌了。

duō kuī lǎo mǔ lù āi tè lā de jīng xīn zhào gù bān bǐ jiàn jiàn cóng shī qù mā ma hé péng you de bēi shāng zhōng píng jìng xià lái le
多亏老母鹿埃特拉的精心照顾，斑比渐渐从失去妈妈和朋友的悲伤中平静下来了。

zhè yì tiān tā kàn zhe tǐng bá de sōng shù xiǎng bù zhī dào wǒ de jiǎo hé shù gàn bǐ nǎ yí gè gèng jiān yìng
这一天，他看着挺拔的松树想：不知道我的角和树干比，哪一个更坚硬？

yú shì guāng de yì shēng bān bǐ yì tóu zhuàng xiàng nà kē
于是，“咣”的一声，斑比一头撞向那棵

sōng shù sōng shù pí yí xià zi jiù liè kāi le
松树，松树皮一下子就裂开了。

bān bǐ nǐ zhēn lì
“斑比，你真厉

hai yì zhī sōng shǔ cóng shù shàng tàn chū
害！”一只松鼠从树上探出

nǎo dai huān kuài de shuō qiáo nǐ yǐ jīng zhǎng chéng yí
脑袋，欢快地说，“瞧，你已经长成一

gè yòu qiáng zhuàng yòu wēi fēng de xiǎo huǒ zi le
个又强壮又威风的小伙子了！”

tīng le sōng shǔ de kuā jiǎng bān bǐ de yǎn jing lǐ shǎn zhe guāng
听了松鼠的夸奖，斑比的眼睛里闪着光

máng nǐ shì rèn zhēn de ma
芒：“你是认真的吗？”

dāng rán sōng shǔ xīng fèn de shuō zhēn shì nán yǐ xiǎng
“当然！”松鼠兴奋地说，“真是难以想

xiàng qù nián zhè ge shí hou nǐ hái bú huì bēn pǎo ne
象，去年这个时候，你还不会奔跑呢！”

鹿的竞争

*

天气变得越来越暖和了，斑比感觉自己的力量也越来越强。

他不断地告诉自己：尽管妈妈不在身边了，我还是要开心、积极地生活。这样，妈妈无论在哪里都会安心的。

现在，斑比走起路来总是昂头挺胸，步子十分优雅。当然咯，他新生的鹿角泛着红润的光泽，这难道不是件值得骄傲的事儿吗？

然而，每当他悠闲地在丛林中散步时，总会有其他公鹿围过来，将他赶走。

这是怎么一回事？为什么大家好像都不喜欢我？

斑比想不明白，但他知道，从前鹿之间那种和谐美好的氛围消失了。

夏天来了，森林里变得非常热闹。许多动物都出来玩耍，斑比也常常出来散步，和朋友们聊天。

仓鸮仍然像往常那样喜欢恶作剧，忽然“嘿……咿”地怪叫着，来吓唬胆小的野兔。

虽然斑比每天都玩得很开心，但他还是常常觉得心里空落落的。他很久没有见到菲林了，十分怀念和她一起玩耍的时光。

lái zì fēi lín de lěng luò

来自菲林的冷落

*

zhè yì tiān tiān qì qíng lǎng wàn lǐ wú yún bàng wǎn bān
这一天，天气晴朗，万里无云。傍晚，斑
bǐ zhào cháng lái dào cǎo dì shàng sàn bù
比照常来到草地上散步。

qīng cǎo lǜ yóu yóu de wǔ yán liù sè de huā duǒ zài qīng cǎo zhī
青草绿油油的，五颜六色的花朵在青草之
jiān shèng kāi mì fēng wēng wēng de tán zòu zhe qǔ zi hú dié wèi tā men
间盛开。蜜蜂嗡嗡地弹奏着曲子，蝴蝶为他们
bàn wǔ bān bǐ yì biān xīn shǎng měi jǐng yì biān yōu xián de zǒu zhe
伴舞。斑比一边欣赏美景，一边悠闲地走着。

yí nà bú zhèng shì fēi lín ma
咦，那不正是菲林吗？

bù yuǎn chù fēi lín hé mǎ lín nà zhèng zài cǎo dì shàng wán shuǎ
不远处，菲林和玛琳娜正在草地上玩耍，
tā men kāi xīn de xiào zhe nào zhe bān bǐ fā xiàn fēi lín hé xiǎo shí
她们开心地笑着闹着。斑比发现，菲林和小时
hou bù yí yàng le tā de máo fà biàn de shí fēn róu shùn zài yáng guāng
候不一样了。她的毛发变得十分柔顺，在阳光
xià shǎn shǎn fā guāng
下闪闪发光。

他十分开心，情不自禁地向菲林快步走去。

“菲林，你们在玩什么呀？”斑比问。

菲林和玛琳娜被吓了一跳，她们立马停止了游戏。

“我们……正要回家了呢！”菲林一边吞吞吐吐地说，一边慌慌张张地和玛琳娜朝森林走去。

“哎……你们等等我呀……”斑比连忙跟上去。

可是，菲林她们像被“危险”追赶似的，一溜烟地跑远了。

在那之后，斑比发现菲林总是躲着他，不让他靠近，这让斑比伤心极了。

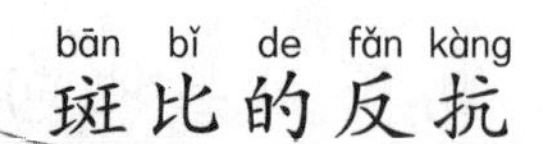

斑比的反抗

*

小斑比已经长成一只强壮的年轻公鹿了，到了为自己寻找伴侣的时候了。

但是，每当他想接近菲林的时候，就会有公鹿扑过来，用尖硬的鹿角将他赶走。其中，卡洛斯和朗诺的态度最恶劣，他们总是把斑比追得到处躲藏。

斑比漫无目的地在丛林中走着，心情十分低落。

忽然，远处泛起一道红光。斑比明白，那是鹿角发出的光，他猜想是哪只公鹿在向他示威。

“我一定要给你们一点儿颜色瞧瞧，叫你们知道，我可不是胆小鬼！”斑比咬着牙自言自语道。

说着，他低下头，向前方猛冲过去。

měng liè de bēn pǎo dài qǐ yí zhèn qiáng jìng de fēng chuī de shù
猛烈的奔跑带起一阵强劲的风，吹得树
yè shā shā de xiǎng bèi bān bǐ cǎi duàn de shù zhī fā chū gē zhī gē
叶沙沙地响。被斑比踩断的树枝发出“咯吱咯
zhī de xiǎng shēng hǎo xiàng zài wèi tā zhù wēi
吱”的响声，好像在为他助威。

kě shì zhǐ jiàn nà zhī gōng lù qīng qīng yì shǎn bān bǐ jiù pū
可是，只见那只公鹿轻轻一闪，斑比就扑
le gè kōng fǎn dào zì jǐ shuāi le gè sì jiǎo
了个空，反倒自己摔了个四脚
cháo tiān
朝天。

tā liàng liàng qiàng qiàng de zhàn qǐ lái
他踉踉跄跄地站起来，
zhǔn bèi chóng xīn chōng guò qù tái tóu
准备重新冲过去。抬头
yí kàn zhè nǎ shì shén me shì wēi
一看，这哪是什么示威
zhě zhè fēn míng shì tā zuì jìng yǎng
者，这分明是他最敬仰
de lǎo gōng lù
的老公鹿。

美好回忆

*

“好长时间没见到你了，真好，都长得这么高、这么壮了。”斑比脑海中一直回响着老公鹿的话。

从此，他变得更加自信了。

有一天，斑比在丛林里散步时又遇到了菲林。他靠到菲林身边，不禁赞叹：“菲林，你真美！”

菲林害羞地笑了笑：“好久不见，斑比。”

斑比目不转睛地望着她，说：“我永远无法忘记我们第一次见面的情形。”

“我也是。”菲林的脸变得红通通的，她温柔地说，“我们一起奔跑、跳跃，那时候还有郭波……”

想到郭波，他们都难过起来。斑比低着头：

hái yǒu wǒ de mā ma nà shí hou dà jiā duō kāi xīn na
“还有我的妈妈，那时候大家多开心哪……”

tā men huí yì zhe yǐ qián de měi hǎo shēng huó liáo zhe liáo zhe
他们回忆着以前的美好生活，聊着聊着，
xīn qíng biàn de yú kuài qǐ lái
心情变得愉快起来。

hái jì de wǒ men wán de zhuō mí cáng yóu xì ma jiù xiàng zhè
“还记得我们玩的捉迷藏游戏吗？就像这
yàng shuō wán fēi lín yí xià zi bēn le chū qù zhuǎn yǎn jiù
样……”说完，菲林一下子奔了出去，转眼就
xiāo shī zài cóng lín zhōng
消失在丛林中。

bān bǐ lèng lèng de kàn zhe fēi lín xiāo shī de fāng xiàng guò le hǎo
斑比愣愣地看着菲林消失的方向，过了好
yí huìr tā cái fǎn yìng guò lái
一会儿，他才反应过来。

fēi lín děng děng wǒ tā biān zhuī biān hǎn
“菲林，等等我！”他边追边喊。

发起进攻

*

“站住！”正当斑比焦急地追赶菲林时，卡洛斯挡住了他的去路。

“请让开！”斑比着急地说。

“小毛孩，最好别招惹菲林。不然的话，别怪我不客气！”卡洛斯凶巴巴地喝道。

斑比生气了，他向卡洛斯狂奔过去，将没有防备的卡洛斯一下子撞倒在地。

“别叫我小毛孩，别再试图欺负我！”斑比严肃地说。还没等卡洛斯站稳，他又要发动进攻。

“别……斑比……”卡洛斯被吓到了，转身就跑。

就在这时，远处传来了菲林的惊叫声。斑比顾不上追赶卡洛斯，立马向她跑去。

朗诺正一瘸一拐地追着菲林，他不屑地对斑比说：“喂，小斑比，你要多管闲事吗？”

“朗诺，你最好马上离开！”斑比生气地说。

“哈哈哈，小家伙，你能把我怎么样？”朗诺大笑着。

“你会见识到我的厉害的！”斑比认真地说。

斑比一心保护菲林，此刻，他感觉自己浑身充满了力量。他低下头，飞快地朝朗诺冲去。

保护菲林

*

狡猾的朗诺偷偷后退了半步，斑比没来得及停下，差点儿就摔倒在地。他立马用后腿撑住自己，刚站稳就又朝朗诺扑去。

只听“咔嚓”一声，他们的鹿角狠狠地撞在一起。

上了年纪的朗诺疼得叫唤出来：“哎哟，哎哟，疼！”他低头一看，一支鹿角竟然被撞断了。

朗诺还没来得及心疼鹿角，斑比又发起了攻击。这一下，他的肩膀被划破了，倒在地上直叫：“斑比，饶了我吧！我只是个年老的瘸子！”

斑比心软了，他放弃了攻击。朗诺跌跌撞撞地站起来，灰溜溜地跑开了。

zhè shí yì zhí páng guān de fēi lín zǒu le guò lái tā hóng zhe
这时，一直旁观的菲林走了过来。她红着
liǎn shuō bān bǐ nǐ zhēn liǎo bu qǐ
脸说："斑比，你真了不起！"

qí shí wǒ bìng bù xǐ huan dǎ jià dàn wǒ bù xī wàng nǐ bèi
"其实我并不喜欢打架，但我不希望你被
qī fu bān bǐ dī zhe tóu shuō
欺负。"斑比低着头说。

bú guò yǐ hòu lǎng nuò jiù bú zài jiào bǒ jiǎo qīn wáng
"不过，以后朗诺就不再叫跛脚亲王
le bān bǐ gù yì dòu fēi lín
了。"斑比故意逗菲林。

nà jiào shén me fēi lín hěn yí huò
"那叫什么？"菲林很疑惑。

gāi jiào dú jiǎo qīn wáng le bān bǐ xiào zhe shuō
"该叫独角亲王了！"斑比笑着说。

hā hā hā fēi lín yě dà xiào qǐ lái
"哈哈哈。"菲林也大笑起来。

xìng fú shēng huó

幸福生活

*

jǐ tiān hòu bān bǐ yòu dú zì zài lín jiān sàn bù hū rán

几天后，斑比又独自在林间散步。忽然，

chuán lái yí zhèn kū shēng

传来一阵哭声。

wū wū

“呜——呜——”

tā qīng shǒu qīng jiǎo de shùn zhe kū shēng zǒu qù fā xiàn jǐ zhī liè

他轻手轻脚地顺着哭声走去，发现几只猎

gǒu zhèng wéi zhe yì zhī xiǎo lù zǐ xì yí kàn jìng rán shì fēi lín

狗正围着一只小鹿。仔细一看，竟然是菲林！

zhè kě zěn me bàn ne yí yǒu bàn fǎ le

这可怎么办呢？咦，有办法了！

tā yòng qián tuǐ shǐ jìn de bǎ zhōu wéi de shí tou tī yuǎn fā chū

他用前腿使劲地把周围的石头踢远，发出

pā pā de shēng xiǎng guǒ rán liè gǒu men jǐng tì de kàn le kàn

“啪啪”的声响。果然，猎狗们警惕地看了看

sì zhōu

四周。

bān bǐ jiàn zhuàng yòu zhǎo lái jǐ kuài shí tou xiàng shù cóng tī

斑比见状，又找来几块石头，向树丛踢

去。“哗啦啦！”这下声音更大了。猎狗们以为有敌人，纷纷朝发出声响的地方跑去。

斑比立马跑到菲林身边，带着她迅速逃回了森林。

“我……以为，自己没命了呢……”菲林一边大口大口地喘着气，一边说，“斑比……幸好有你……”

刚说完，疲惫的菲林就昏了过去。

“菲林……醒醒……菲林……”斑比一边喊着，摇晃着晕倒的菲林，一边给她喂水喝。

过了好一会儿，菲林终于醒了。

在那之后，斑比和菲林就形影不离了，他们幸福地生活在了一起。

狡猾的人类

寻找老公鹿

*

好久没见到老公鹿了！想到这儿，斑比就十分迫切地想见见这位老公鹿。于是，他带着菲林一起在森林里寻找老公鹿的踪迹。

“其实，我挺害怕老亲王的。”菲林一边走，一边担忧地说。

斑比安慰道：“森林中很多小鹿都害怕他，但不得不说，大家也都很敬重他呢！”

他们走着走着，天色渐渐暗了。这是个没

yǒu yuè liang de yè wǎn sēn lín lǐ yí piàn qī hēi
有月亮的夜晚，森林里一片漆黑。

bān bǐ kuài kàn bù qīng lù le wǒ men míng tiān zài zhǎo tā
“斑比，快看不清路了，我们明天再找他
ba fēi lín hái shi hài pà biàn zhè yàng shuō dào
吧！”菲林还是害怕，便这样说道。

bù fēi lín wǒ zhī dào nǐ bú huì diū xià wǒ de
“不，菲林。我知道你不会丢下我的！”

zhèng dāng liǎng rén zhēng lùn shí lǎo gōng lù chū xiàn le tā màn yōu
正当两人争论时，老公鹿出现了。他慢悠
yōu de zǒu zài hēi yè lǐ guò le yí huìr tā tíng xià lái ān
悠地走在黑夜里。过了一会儿，他停下来，安
jìng de chī zhe cǎo fǎng fú méi yǒu kàn dào bān bǐ tā men
静地吃着草，仿佛没有看到斑比他们。

fēi lín yí xià zi duǒ zài bān bǐ shēn hòu duō suo zhe shuō
菲林一下子躲在斑比身后，哆嗦着说：
qiáo tā duō ào màn na wǒ men huí qù ba
“瞧，他多傲慢哪！我们回去吧！”

bān bǐ yòu hài pà yòu huān xǐ tā bù tíng de ān wèi dào méi
斑比又害怕又欢喜，他不停地安慰道：“没
shì de fēi lín tā hěn shàn liáng bú huì shāng hài wǒ men de
事的，菲林。他很善良，不会伤害我们的。”

美丽的误会

*

“没什么了不起的，我要走过去，向他问好，这样才有礼貌哇！”斑比嘟囔着。

“要去你去吧，我可不去！”菲林急得哭了，跑到一边去了。

斑比不想半途而废（中途停止），他一步步地朝老公鹿走去，刚想开口说：“您好，亲王！”这时，老公鹿却稍微走远了几步。

糟了，该不会打扰他享用美餐了吧？

斑比心慌意乱地想着，他想转身离开，但又怕老公鹿觉得他没礼貌。

迟迟没等到斑比的问好，老公鹿心里也着急起来：这小子怎么不说话？难道我不够威严、不够英俊？

“也许我不该盯着他，他会害羞的。”老公

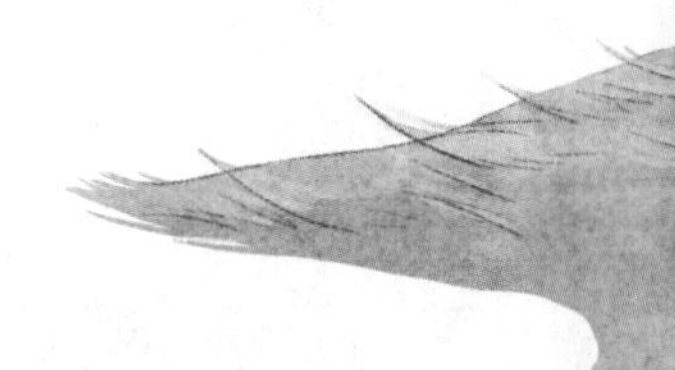

lù zhè yàng xiǎng zhe jiù diào zhuǎn le mù guāng kàn xiàng cóng lín shēn chù
鹿这样想着，就调转了目光，看向丛林深处。

bān bǐ zé shī luò de xiǎng yě xǔ tā jué de wǒ bú gòu chéng
斑比则失落地想：也许他觉得我不够成

shú bú gòu qiáng zhuàng suǒ yǐ cái bú yuàn yì kàn wǒ
熟、不够强壮，所以才不愿意看我。

ér lǎo gōng lù ne yòu jué de bān bǐ bù xiǎng hé tā zhè me lǎo
而老公鹿呢，又觉得斑比不想和他这么老

de lù zuò péng you yě biàn de jǔ sàng qǐ lái
的鹿做朋友，也变得沮丧起来。

děng míng tiān ba míng tiān wǒ men zài hǎo hǎo liáo liao tiān
“等明天吧！明天我们再好好聊聊天！”

tā men dōu zhè yàng xiǎng zhe mèn mèn bú lè de gè zì huí jiā le
他们都这样想着，闷闷不乐地各自回家了。

人类的诡计

*

天气越来越炎热，森林里的动物们常常聚在树下乘凉。

这一天，又累又热的斑比倒在灌木丛中，沉沉地睡了过去。

“斑比，快来……斑比……”

睡梦中，斑比听到了菲林的呼唤声。他迷迷糊糊地睁开眼，却没见到菲林的身影。

“斑比……快来……”菲林的声音再次响起。

“我该回去了，菲林一定是想我了！”斑比自言自语着站起来，快步朝声音传来的方向走去。

“斑比，来吧……”远处的声音还在继续，斑比不禁跑了起来。

然而，他没跑几步，就被忽然出现的老公鹿挡住了去路。“别去，斑比！”老公鹿大喊。

斑比很不理解：“为什么？菲林在叫我呢！”

“现在不许去！”老公鹿大声喝道。

斑比被吓得一哆嗦，他鼓起勇气辩解：“真的是菲林的声音，请您让我去吧！”

“那不是菲林！”老公鹿十分肯定地说。

可斑比根本听不进去，非要去看一看。

错怪老公鹿

*

“如果你非要去，那就跟在我身后，慢慢地、轻轻地走。”老公鹿十分无奈地说。

斑比生着气，不情不愿地跟着老公鹿缓缓地走着。“一向英勇的老公鹿怎么变得这么胆小了呢？”他在心里嘀咕着。

不过，老公鹿的步伐的确十分轻巧，他走路时没发出一点儿声音，走过的地方连树叶都不动一下。

hū huàn shēng yuè lái yuè jìn le lǎo gōng lù zǒu de gèng màn le
呼唤声越来越近了，老公鹿走得更慢了。

tā wān xià yāo qīng shēng duì bān bǐ shuō dāi huìr wú lùn kàn dào shén
他弯下腰，轻声对斑比说：“待会儿无论看到什

me dōu bú yào jīng huāng yě bú yào shuō huà
么都不要惊慌，也不要说话。”

bān bǐ hěn bù jiě lǎo gōng lù yòu shuō xiāng xìn wǒ bān
斑比很不解，老公鹿又说：“相信我，斑

bǐ
比！”

jiù zài zhè shí bān bǐ gǎn jué chū zhōu wéi de qíng kuàng kāi shǐ bú
就在这时，斑比感觉出周围的情况开始不

duì jìn tā gǎn jué shēn tǐ xiàng bèi dìng zhù le yí dòng yě bù gǎn dòng
对劲。他感觉身体像被定住了，一动也不敢动。

lěng jìng xiē màn màn zǒu lǎo gōng lù zài cì dī shēng
“冷静些，慢慢走！”老公鹿再次低声

tí xǐng
提醒。

tā dài zhe bān bǐ yí bù yí bù de zǒu zài xiǎo lù shàng zuì hòu
他带着斑比一步一步地走在小路上，最后

shùn lì de duǒ guo le liè rén de quān tào
顺利地躲过了猎人的圈套。

nǎ lǐ yǒu shén me fēi lín yuán lái shì jiǎo huá de liè rén zài mó
哪里有什么菲林，原来是狡猾的猎人在模

fǎng lù de hū huàn shēng
仿鹿的呼唤声！

bān bǐ yòu xiū yòu qì zhèng xiǎng xiàng lǎo gōng lù dào xiè què
斑比又羞又气，正想向老公鹿道谢，却

fā xiàn tā yǐ jīng xiāo shī zài shù lín zhōng le
发现他已经消失在树林中了。

guō bō huí lái le
郭波回来了

*

xīn de yì tiān yòu kāi shǐ le bān bǐ xī qǔ jīng yàn jiào xùn
新的一天又开始了，斑比吸取经验教训，
biàn de bǐ wǎng cháng gèng jiā xiǎo xīn jǐn shèn
变得比往常更加小心谨慎。

tā yì biān péi zhe fēi lín chàng gē zài lín jiān sàn bù yì biān
他一边陪着菲林唱歌，在林间散步，一边
shù zhe ěr duo zǐ xì de guān chá zhe sì zhōu
竖着耳朵，仔细地观察着四周。

hū rán bān bǐ tíng le xià lái yí xià zi jiāng fēi lín dǎng zài
忽然，斑比停了下来，一下子将菲林挡在
shēn hòu
身后。

zěn me le fēi lín bù jiě de wèn
“怎么了？”菲林不解地问。

“嘘……小声点儿。”斑比低声说，“你看，前面有个深红色的东西在移动。”

菲林一听，吓得脸都白了，哆嗦着说：“会不会是卡洛斯，或者朗诺？”

斑比碰了碰她的头，安慰道：“冷静点儿，菲林。这应该是只陌生的鹿。”

“他蹲在这儿做什么？不会是想偷袭我们吧？”菲林还是不放心。

“别担心，只是一只不认识的鹿而已。”斑比说。

不过，这只鹿胆子真大！居然在这里停留，太容易被偷袭了！

他们这样想着，正要转身离去，那只陌生的鹿突然转过头来。

“斑比！菲林！你们好吗？”他大喊着。

斑比和菲林惊呆了，那只鹿竟然是郭波！

bēi cǎn de jiào xùn
悲惨的教训

diū diào qiè ruò
丢掉怯弱

*

à shì guō bō fēi lín jī dòng de zhí fā dǒu xùn
“啊！是郭波！”菲林激动得直发抖，迅
sù cháo guō bō bēn qù bān bǐ yě jǐn jǐn de gēn zhe tā
速朝郭波奔去。斑比也紧紧地跟着她。

jiě jie wǒ fēi cháng xiǎng niàn nǐ fēi cháng xiǎng niàn mā
“姐姐，我非常想念你，非常想念妈
ma guō bō jī dòng de diào xià le yǎn lèi mā ma shēn tǐ hái hǎo
妈。”郭波激动得掉下了眼泪，“妈妈身体还好
ma
吗？”

hǎo zhe ne bú guò zhǐ yào yì xiǎng dào nǐ mā ma jiù
“好着呢！不过，只要一想到你，妈妈就
hěn nán guò fēi lín mǒ zhe yǎn lèi shuō xiàn zài hǎo le mā ma
很难过。”菲林抹着眼泪说，“现在好了，妈妈
jiàn dào nǐ yí dìng hěn kāi xīn
见到你一定很开心。”

shàng cì de shì jiù xiàng yì cháng è mèng guō bō shuō duō
“上次的事就像一场噩梦。”郭波说，“多
kuī le tā bù rán wǒ zhēn de zài yě huí bù lái le
亏了他，不然，我真的再也回不来了。”

“这是怎么一回事？那次你明明……”斑比问出了心里的困惑。

“这件事，简直三天三夜都讲不完。”郭波得意地说，“这段经历绝对是森林里最神奇的！”

“我们先回家找妈妈！”菲林兴奋地说，“你可得好好给我们说说来龙去脉。”

但是，要找到英娜阿姨，必须穿过那片经常发生危险的空地。斑比还没来得及提醒，郭波就一跃而起，跑进空地里。

郭波不再像以前那样胆小了，真不知这是不是好事。

重逢

*

班比他们穿过空地，走过一条条鹿道，终于在森林深处找到了英娜阿姨。

听到脚步声，正在睡午觉的英娜阿姨缓缓地睁开眼睛，抬起了头。

“妈妈！”郭波轻轻地喊着，慢慢地朝她走去。

“我这是在做梦吗？”英娜阿姨闭上眼，又重新睁开。这时，郭波走到了她面前，依偎着她，他身后还站着菲林和斑比。

“天哪，这是真的！”她兴奋地叫着，紧紧地挨着郭波。

英娜一会儿亲亲他的头，一会儿碰碰他的鹿角，流着泪喃喃自语：“我真的见到你了！我亲爱的郭波！”

她激动得浑身不停地颤抖着，用舌头轻轻地舔着郭波，就像他刚出生时那样。

郭波变得强壮了，鹿角也变得坚硬了，现在的他眼神自信而坚强。可在他的妈妈眼中，他依然是需要保护的孩子。

菲林和斑比站在一旁，被这场景感动得热泪盈眶。他们相互倚靠着，静静地听着郭波对妈妈诉说着思念。

jí huì

集会

*

dé zhī guō bō huí lái de xiāo xi xǐ què lián máng zài sēn lín lǐ xīng
得知郭波回来的消息，喜鹊连忙在森林里兴
fèn de dà jiào guō bō huí lái lā dà jiā kuài lái wèi tā qìng zhù ba
奋地大叫：“郭波回来啦！大家快来为他庆祝吧！”

tā de shēng yīn bú duàn de zài sēn lín zhōng huí xiǎng jiù zhè yàng
她的声音不断地在森林中回响。就这样，
sēn lín lǐ de xiǎo dòng wù fēn fēn zǒu chū jiā mén cù yōng jǐn jǐn de
森林里的小动物纷纷走出家门，簇拥（紧紧地
wéi zhe zhe guō bō lái dào yí kuài kòng dì shàng
围着）着郭波来到一块空地上。

yě tù shí ér jiāng cháng cháng de ěr duo shù qǐ lái shí ér yòu
野兔时而将长长的耳朵竖起来，时而又
jiāng tā men fàng xià yě jī sōng shǔ cāng xiāo huáng yīng yě dōu gǎn
将它们放下，野鸡、松鼠、仓鸮、黄莺也都赶
lái dà jiā bǎ guō bō wéi zài zhōng jiān jīn jīn yǒu wèi xíng róng qù
来，大家把郭波围在中间，津津有味（形容趣
wèi hěn nóng hòu de tīng tā jiǎng gù shi
味很浓厚）地听他讲故事。

zì cóng nà cì zāi nàn hòu sēn lín lǐ yǐ jīng hěn jiǔ méi zhè me rè
自从那次灾难后，森林里已经很久没这么热
nao le
闹了。

guō bō qīng le qīng sǎng zi rèn zhēn de shuō nà tiān zhēn shì tài
郭波清了清嗓子，认真地说：“那天真是太
jīng xiǎn le xìng kuī jǐ tiáo hǎo xīn de liè gǒu fā xiàn le wǒ
惊险了，幸亏几条好心的猎狗发现了我。”

fēi lín dǎ le yí gè hán zhàn chā huà dào hǎo xīn liè gǒu
菲林打了一个寒战，插话道：“好心？猎狗

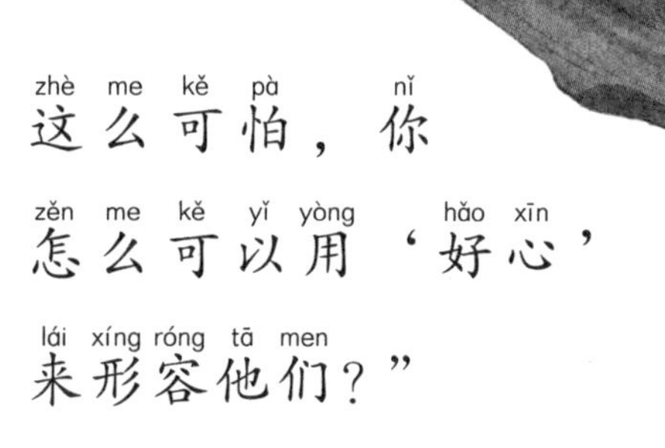

zhè me kě pà nǐ
这么可怕，你
zěn me kě yǐ yòng hǎo xīn
怎么可以用‘好心’
lái xíng róng tā men
来形容他们？”

shàng cì bèi liè gǒu wéi gōng de shì jiāng fēi lín xià de bù qīng tā
上次被猎狗围攻的事将菲林吓得不轻，她
xīn lǐ kě yì diǎnr yě bù xǐ huan liè gǒu
心里可一点儿也不喜欢猎狗。

jiě jie liè gǒu bìng méi yǒu xiǎng xiàng zhōng nà me kě pà
“姐姐，猎狗并没有想象中那么可怕。”
guō bō xiào le xiào shuō
郭波笑了笑，说，
bié jí tīng wǒ màn
“别急，听我慢
màn shuō
慢说。”

逃生奇遇

*

“那天他们把我团团围住，一会儿用鼻子闻闻我，一会儿拽拽我的腿，看我是不是还活着。”郭波说，“我以为自己会成为他们的一顿晚餐呢！”

“可他们没有吃掉你？”斑比不解地问。

“没有。”郭波忽然很严肃地说，“‘危险’来了，他吆喝了一声，把猎狗叫走了。”

“真的吗？猎狗会听‘危险’的话？”野兔忍不住打断郭波，问道。

“我也觉得奇怪。”郭波接着说，“但猎狗就这样乖乖地趴在了他的脚边。”

“然后呢，然后呢？”仓鸮急着问。

“他把我从雪地里拉起来，我以为自己完蛋了，绝望地乱叫着。”郭波说，“没想到，

tā kāi shǐ xiàng mā ma yí yàng qīng qīng
他开始像妈妈一样轻轻
de fǔ mō wǒ, rán hòu bào zhe wǒ
地抚摸我，然后抱着我
zǒu le
走了。”

méi guò duō jiǔ, wǒ
“没过多久，我
jiù shuì zháo le. guō bō wú nài
就睡着了。”郭波无奈
de shuō, shuō bú dìng, wǒ dāng
地说，“说不定，我当
shí shì lèi yūn dǎo le
时是累晕倒了。”

tā bǎ nǐ dài
“他把你带
qù nǎr le
去哪儿了？”
bān bǐ hào qí de wèn
斑比好奇地问。

shuō dào zhèr, guō bō dùn shí
说到这儿，郭波顿时
shén qì qǐ lái. tā dé yì yáng yáng
神气起来。他得意扬扬
de shuō: wǒ men qù le shì jiè
地说：“我们去了世界
shàng zuì shén qí de dì fang
上最神奇的地方。”

向往的生活

*

小动物们都屏住了呼吸，瞪大了眼睛，等着郭波接着讲下去。

郭波清了清嗓子，吊足了大家的胃口，才慢慢说道：“那个地方叫屋子。”

“什么是屋子？”野鸡追问着。

“屋子嘛……不会被风吹日晒，即使在寒冷的冬天，也像春天一样温暖。”郭波接着说，“哪怕外面大雨倾盆，屋子里连一滴水也不会漏。”

“呀……”喜鹊发出惊叹声。

“真厉害！”斑比感叹

道，“下雨时，我们总会被淋得浑身湿漉漉的，可难受了！”

“他们自己劈柴，还种了很多好吃的食物。”紧接着，郭波向大家描述了土豆、萝卜的味道，还说到了壁炉。

每说一样东西，都会引起小动物们的惊叹。面对这样的情景，郭波越来越得意，他觉得，自己已然成了森林里最了不起的鹿了。

大家都用羡慕的眼神望着郭波，想象着自己正身处那样神奇的屋子，每天都能吃到香甜可口的食物。

这正是大家向往的生活。

可怜虫

*

“不过，郭波。”蜂鸟忽然小声说，“你不害怕吗？人类可是我们的敌人！”

郭波摇摇头：“为什么要害怕？人类也有好人。救我的那个人很善良，他和他的家人都很照顾我。”

“你确定吗，郭波？”菲林觉得难以置信。

郭波笑了笑，肯定地说：“当然啦！他喜欢谁，就会对谁好。他家还有小松鼠和小兔子呢！”

动物们都听得很认真，连老公鹿什么时候走过来的都不知道。

“每当我想念家人和朋友时，他们就会和我做游戏。还有……”郭波正炫耀着，突然，他发现了神情严肃的老公鹿，吓得一个字也不

gǎn shuō le
敢说了。

nǐ bó zi shàng guà de shì shén me lǎo gōng lù zhòu zhe méi
“你脖子上挂的是什么？”老公鹿皱着眉
tóu yán lì de wèn
头，严厉地问。

zhè shí dà jiā cái fā xiàn guō bō de bó zi shàng miàn duō le gè
这时，大家才发现郭波的脖子上面多了个
shéng quān
绳圈。

zhè ge shì jiǎng lì guō bō tūn tūn
“这个……是……奖励……”郭波吞吞
tǔ tǔ de biàn jiě zhe hái méi děng tā shuō wán lǎo gōng lù jiù dǎ
吐吐地辩解着。还没等他说完，老公鹿就打
duàn le tā de huà
断了他的话。

zhēn shì gè kě lián chóng shuō wán lǎo gōng lù zhuǎn guò
“真是个可怜虫！”说完，老公鹿转过
shēn mài zhe chén zhòng de bù fá zǒu jìn le sēn lín
身，迈着沉重的步伐走进了森林。

改　变

*

自打那次集会之后，整个森林的动物们都在讨论郭波的神奇经历。英娜阿姨以此为傲，郭波却整天气冲冲的。

“老亲王居然叫我可怜虫！”郭波抱怨着，“他凭什么给我取这样的绰号？”

“没关系的，孩子。”英娜阿姨安慰道，“他一把年纪了，别和他斤斤计较。”

“你的经历比老亲王丰富多了呢！”对郭波心生崇拜的玛琳娜也附和着。

不过，大家都觉得郭波变了。

“白天出去，你一点儿也不觉得害怕吗？”斑比常常这样问郭波。

面对斑比的追问，郭波总毫不在乎地说：“‘危险’根本不存在。”

gèng ràng bān bǐ kùn huò de shì guō bō cháng duì tā shuō wǒ gǎn jué hěn bú zì zài

更让斑比困惑的是，郭波常对他说：“我感觉很不自在。”

tā láo dao zhe yào shì měi tiān yǒu rén dìng shí gěi wǒ wèi shí wù duō hǎo wa

他唠叨着：“要是每天有人定时给我喂食物多好哇！”

nǐ zài shuō shén me ya bān bǐ fēi cháng chī jīng guō bō nǐ yǐ jīng bú shì xiǎo lù le gāi xué huì zì jǐ dú lì shēng huó le

“你在说什么呀？”斑比非常吃惊，“郭波，你已经不是小鹿了，该学会自己独立生活了。”

duì la hái yào yì jiān sì jì rú chūn de wū zi guō bō zì gù zì de xiǎng xiàng zhe gēn běn méi zhù yì dào bān bǐ lù chū wǎn xī de yǎn shén

“对啦，还要一间四季如春的屋子。”郭波自顾自地想象着，根本没注意到斑比露出惋惜的眼神。

dà dǎn de guō bō
大胆的郭波

*

jiān kǔ de dōng tiān yòu yào lái le fēi lín chā huà dào
“艰苦的冬天又要来了。”菲林插话道，
rú guǒ wǒ men yě néng chī shàng gān cǎo tǔ dòu hé luó bo nà gāi
“如果我们也能吃上干草、土豆和萝卜，那该
duō me měi hǎo wa
多么美好哇！”

jiě jie wǒ yě zhèng wèi zhè jiàn shì fā chóu ne guō bō pèi
“姐姐，我也正为这件事发愁呢！”郭波配
hé de diǎn le diǎn tóu shuō xiǎng yi xiǎng dōng tiān shén me chī de dōu méi
合地点了点头说，“想一想，冬天什么吃的都没
yǒu zhēn shì kě pà ya
有，真是可怕呀！”

zhè yǒu shén me bān bǐ yǒu xiē shēng qì de shuō nán dào
“这有什么？”斑比有些生气地说，“难道
nǐ yì diǎnr kǔ yě chī bù liǎo ma
你一点儿苦也吃不了吗？”

谁知，郭波认真地说：“说不定我会再回到他的家，我已经习惯了人类的照顾。”

“我真是越来越不理解你了。”斑比无奈地摇摇头。

“你当然无法理解！”郭波不屑地说，“你又没被人类照顾过！”

斑比动了动嘴唇，最后什么也没说，默默地离开了。

随着时间的流逝，森林里的小动物们渐渐遗忘了郭波的事。这一天，斑比和菲林散步回来，刚好碰上了要出门的郭波。

“太阳出来了，现在草地上很危险。”他们忍不住劝道。

“你们别瞎操心，我就是喜欢白天出去玩！”郭波反而大步跑开了，他身后的玛琳娜只得连忙跟上去。

guō bō lí kāi le
郭波离开了

*

hū rán fēng niǎo jiān ruì de sǎng yīn zài sēn lín shàng kōng xiǎng qǐ
忽然，蜂鸟尖锐的嗓音在森林上空响起。

guō bō wēi xiǎn lái le nǐ tīng niǎo ér men yǐ jīng
“郭波，‘危险’来了！你听，鸟儿们已经
fā chū jǐng gào le bān bǐ zài cì lán zhù le guō bō
发出警告了！”斑比再次拦住了郭波。

wǒ hé tā men shì péng you pà shén me guō bō gēn běn
“我和他们是朋友，怕什么！”郭波根本
bú xìn zhè xiē shàn yì de jǐng gào
不信这些善意的警告。

jiē zhe xǐ què wū yā de jiào shēng yě bú duàn de xiǎng qǐ
接着，喜鹊、乌鸦的叫声也不断地响起。

guō bō bié mào xiǎn fēi lín jī hū shì kěn qiú dào
“郭波，别冒险。”菲林几乎是恳求道。

wǒ men míng tiān zài lái ba mǎ lín nà bèi xià de hún shēn
“我们明天再来吧？”玛琳娜被吓得浑身

发抖，也哀求着郭波。

“我就要今天去！”郭波不耐烦地说。

斑比无可奈何：“这样吧，你们都跟着我走。”他迈着缓慢的步子，带着大家走向空地。

突然，他停住脚步，警惕地动了动耳朵。这下，大家都发现了身后的“危险”。

“别乱跑，往这边走！”斑比努力使自己镇定下来。

可郭波轻蔑地笑着：“你们尽情逃跑吧！胆小鬼！”说着，还故意朝“危险”那边走去。

斑比他们还没来得及阻止，就听见“砰”的一声巨响，郭波应声倒在了血泊之中。

鹿王斑比

困惑

*

自从郭波彻底离开这个世界以后，整个森林都笼罩在灰暗之中。

这些日子，斑比总是独自发呆。有时候，他围着湖泊一圈又一圈地走着，静静地想着心事。有时候，他像一棵树似的，一站就是大半天。

这一天，斑比又独自来到了湖边。蔚蓝的天空中飘着几朵白云，它们一会儿向东，一会儿向西，斑比的目光也跟随着云朵飘动着。

他想着温柔的妈妈，想着以前胆小的郭波，想着冬天愉快的集会……他不愿意去回忆

cán rěn de rén lèi yě bú yuàn yì xiǎng qǐ nà kě pà de qiāng shēng
残忍的人类，也不愿意想起那可怕的枪声。

rán ér tòng kǔ de wǎng shì hái shi cháng cháng fú xiàn zài tā de nǎo
然而，痛苦的往事还是常常浮现在他的脑
hǎi zhōng bān bǐ gǎn jué zì jǐ yào bèi zhè bēi tòng dǎ bài le tā zhěng
海中。斑比感觉自己要被这悲痛打败了，他整
tiān mèn mèn bú lè de bù xiǎng chī dōng xi yě bù xiǎng gēn fēi lín chū
天闷闷不乐的，不想吃东西，也不想跟菲林出
qù wán le
去玩了。

guō bō de lí kāi shì shuí de guò cuò tā shuō de nà xiē měi hǎo
郭波的离开是谁的过错？他说的那些美好
de shēng huó zhēn de cún zài ma bān bǐ bú duàn de zài xīn lǐ sī kǎo zhe
的生活真的存在吗？斑比不断地在心里思考着
zhè ge wèn tí dàn zěn me yě wú fǎ zhǎo dào dá àn
这个问题，但怎么也无法找到答案。

zhí dào yǒu yì tiān tā yù jiàn le hǎo jiǔ bú jiàn de lǎo gōng
直到有一天，他遇见了好久不见的老公
lù
鹿。

驯服与自由

*

突如其来的灾难把大家都击倒了。玛琳娜哭了整整三天三夜，英娜阿姨几乎疯掉了。

斑比不解地问："我想不明白，郭波不是说过，他和'危险'是要好的朋友吗？"

过了好一会儿，老公鹿才认真地说："可是，斑比，你觉得那会不会是假的呢？"

"我不知道。"斑比忽然问，"您之前为什么说郭波是可怜虫呢？"

老公鹿想了想，问："斑比，你觉得有人喂食物、被人照顾的生活很美好吗？"

斑比反问道："您觉得这样不好吗？"

"是的，天下没有白吃的午餐。"老公鹿严肃地说，"这种生活要付出很大的代价。"

"那么，代价是什么？"斑比不明白了，

tào shàng shéng quān ma
“套上绳圈吗？”

duì lǎo gōng lù shuō cóng cǐ huó zài rén lèi de kòng zhì
“对！”老公鹿说，“从此活在人类的控制
zhī xià shī qù zì yóu zhè jiù shì dài jià
之下，失去自由，这就是代价。”

bān bǐ zhōng yú zhǎo dào le dá àn tā chén jìn zài zì jǐ de sī
斑比终于找到了答案，他沉浸在自己的思
xù zhōng lián lǎo gōng lù shén me shí hou lí kāi de dōu bù zhī dào
绪中，连老公鹿什么时候离开的都不知道。

zài nà zhī hòu bān bǐ gèng jiā xǐ huan dú chǔ le chén jìn zài
在那之后，斑比更加喜欢独处了，沉浸在
sī suǒ zhōng de bān bǐ wú xiá zài wǎn liú lí kāi de fēi lín
思索中的斑比无暇再挽留离开的菲林。

斑比中弹

*

这天清晨，斑比正躺在树下休息。迷迷糊糊之中，他嗅到了一股奇怪的味道。

斑比立即警惕地伸长脖子四处张望着，做好了奔跑的准备。就在这时，忽然传来一声巨响。

“砰”的一声，斑比被震得身体不停地摇晃。他努力使身体保持平衡，顾不上细想，立马向森林跑去。

不一会儿，斑比就累得喘不过气来。这时，他才感觉到身体被剧烈的疼痛折磨着，鲜血不断地从他的腿上流出来。

恐惧一下子涌上心头：“糟糕，我要变成瘸子了！”

他强迫自己打起精神，争取快点儿逃跑，

但全身的力气像被什么东西抽空了一样。渐渐地，斑比跳不远了，也跑不动了。

没办法，他只得放慢了脚步，缓缓地前进着。到最后，他甚至不得不倚靠着树干休息，来恢复一点儿体力。

可是，“危险”正一步步靠近，这个时候哪里能够休息呢？

在这千钧一发的时刻，老公鹿出现了。他像发了疯似的，大喊：“斑比，斑比！快起来！”

jīng xiǎn táo shēng

惊险逃生

*

bān bǐ wǒ de hái zi kuài qǐ lái nǐ yí dìng yào jiān
“斑比，我的孩子，快起来！你一定要坚
chí dào zuì hòu yí kè ya lǎo gōng lù kuài sù pǎo dào bān bǐ miàn qián
持到最后一刻呀！”老公鹿快速跑到斑比面前，
dà shēng hǎn zhe yòng lì de tuī zhe tā qǐ lái
大声喊着，用力地推着他起来。

zhè qīn qiè de chēng hu ràng bān bǐ yòu huò dé le lì liàng tā fèi
这亲切的称呼让斑比又获得了力量，他费
lì de zhàn le qǐ lái
力地站了起来。

kàn zhe bān bǐ yuè lái yuè cāng bái de liǎn sè lǎo gōng lù yòu xīn
看着斑比越来越苍白的脸色，老公鹿又心
téng yòu jǐn zhāng tā yán lì de shuō xiàn zài nǐ bì xū rěn zhù téng
疼又紧张，他严厉地说：“现在，你必须忍住疼
tòng yì zhí xiàng qián bù rán de huà wǒ men hěn kuài huì bèi liè gǒu zhuī
痛一直向前。不然的话，我们很快会被猎狗追
shàng de
上的。”

“来吧，好孩子！紧紧地跟着我！”老公鹿说。

斑比已经疼得说不出话，也辨别不了方向了，他像只木偶，只是逼着自己跟随老公鹿的脚步跑着。

他们快步跑着，在丛林间绕来绕去，最后走进一条十分隐蔽的鹿道。

这时，老公鹿摘下几片深绿色的叶子让斑比吃下。过了一会儿，斑比发现血止住了，他也恢复了一些力气。

紧接着，他们又蹚过一条水沟，来到丛林间，一直往森林深处走去。

终于，他们到了老公鹿的家。

“现在安心睡吧！”老公鹿话音刚落，斑比就狠狠地倒在地上，晕了过去。

kāng fù liàn xí

康复练习

*

yǒu lǎo gōng lù de shǒu hù bān bǐ shuì de wú bǐ ān xīn
有老公鹿的守护，斑比睡得无比安心。

guò le hǎo duō tiān bān bǐ cái chè dǐ qīng xǐng guò lái tā wàng
过了好多天，斑比才彻底清醒过来。他望
zhe bú zài hóng zhǒng de shāng kǒu bù yóu de zhí fā lèng
着不再红肿的伤口，不由得直发愣。

zhòng qiāng de shì fǎng fú guò le yì bǎi nián nà me jiǔ dàn téng tòng
中枪的事仿佛过了一百年那么久，但疼痛
hái shi nà yàng zhēn shí zhè ge dōng tiān tā dōu děi dāi zài lǎo gōng lù
还是那样真实。这个冬天，他都得待在老公鹿
jiā lǐ le
家里了。

rán ér lǎo gōng lù què mìng lìng dào bān bǐ zhàn qǐ lái
然而，老公鹿却命令道：“斑比，站起来。”

bān bǐ rěn tòng zhàn qǐ lái bù jiě de wèn zěn me la zhè
斑比忍痛站起来，不解地问：“怎么啦？这
lǐ yě bù ān quán le ma
里也不安全了吗？”

bù lǎo gōng lù yán sù de shuō nǐ xiǎng biàn chéng lǎng nuò
“不。”老公鹿严肃地说，“你想变成朗诺
nà yàng de qué zi ma shuō zhe tā hái gù yì yì qué yì guǎi de zǒu
那样的瘸子吗？”说着，他还故意一瘸一拐地走
le jǐ bù
了几步。

bān bǐ rěn bú zhù xiào qǐ lái lián máng yáo tóu shuō wǒ kě
斑比忍不住笑起来，连忙摇头说：“我可
bú yào
不要。”

“那么就听我的。”老公鹿说。

在那之后，斑比就开始了痛苦的康复训练。只要一动弹，他后腿的伤口就会疼，但他还是按照老公鹿说的“站起……蹲下……站起”不断地练习着。

有时候，老公鹿会陪他一起锻炼，这让斑比觉得十分幸福。

没过多久，斑比又开始练习奔跑。他们玩着追逐的游戏，一起在雪地里找食物。

zài jiàn fēi lín
再见菲林

*

hán lěng de rì zi jiàn jiàn guò qù le wēn nuǎn de chūn tiān jiù yào lái
寒冷的日子渐渐过去了，温暖的春天就要来
le huī fù le jiàn kāng de bān bǐ kāi shǐ dú zì chū lái màn bù le
了。恢复了健康的斑比，开始独自出来漫步了。

gāng fā chū nèn yá de xiǎo cǎo hào qí de tàn zhe nǎo dai zhāng wàng
刚发出嫩芽的小草好奇地探着脑袋，张望
zhe zhè ge shì jiè lù shuǐ qīng yíng de guà zài tā shēn shàng
着这个世界，露水轻盈地挂在它身上。

hǎo jiǔ méi wén dào zhè me qīng xīn de kōng qì le bān bǐ
“好久没闻到这么清新的空气了！”斑比
gǎn jué shēn xīn dōu hěn shū chàng zì yán zì yǔ dào
感觉身心都很舒畅，自言自语道。

jiù zài zhè shí tā fā xiàn le bù yuǎn chù yǒu zhī lù zài lái huí
就在这时，他发现了不远处有只鹿在来回
zǒu dòng zhe xiàng shì zài xún zhǎo shén me dōng xi
走动着，像是在寻找什么东西。

nà zhī lù dī zhe tóu yòng bí zi wén zhe tǔ dì zuì hòu hái
那只鹿低着头，用鼻子闻着土地，最后还
jiáo le jiáo yuán lái nà zhī lù zài kěn xiǎo cǎo ne
嚼了嚼。原来，那只鹿在啃小草呢！

děng nà zhī lù zhuǎn guò tóu lái bān bǐ yí xià zi jiù dāi zhù
等那只鹿转过头来，斑比一下子就呆住
le zhè bú shì fēi lín ma
了，这不是菲林吗？

tā gǎn jué zì jǐ de xīn zàng měng liè de tiào dòng zhe yǎn lèi bú
他感觉自己的心脏猛烈地跳动着，眼泪不
shòu kòng zhì de zài yǎn kuàng lǐ dǎ zhuàn
受控制地在眼眶里打转。

tā men yǐ jīng hěn jiǔ méi jiàn le tā duō xiǎng chōng shàng qù dǎ
他们已经很久没见了，他多想冲上去打
gè zhāo hu fēi lín nǐ zuì jìn hǎo ma
个招呼：“菲林，你最近好吗？”

kě shì xì xīn de bān bǐ fā xiàn fēi lín biàn lǎo le tā de
可是，细心的斑比发现菲林变老了，她的
bù zi bú zài jiǎo jiàn hún shēn chōng mǎn le pí bèi gǎn tā men dōu bú
步子不再矫健，浑身充满了疲惫感。他们都不
zài nián qīng le
再年轻了。

tā wèi shén me kàn qǐ lái zhè yàng
“她为什么看起来这样
shāng xīn bān bǐ zài xīn lǐ xiǎng zhe
伤心？”斑比在心里想着，
chí chí bù gǎn hé tā xiāng rèn
迟迟不敢和她相认。

děng tā zài tái tóu shí fēi lín yǐ jīng
等他再抬头时，菲林已经
xiāo shī de wú yǐng wú zōng le
消失得无影无踪了。

rén lèi de cuì ruò

人类的脆弱

*

pēng yì shēng jù xiǎng bǎ bān bǐ cóng chén sī zhōng jīng xǐng

“砰……”一声巨响把斑比从沉思中惊醒。

zhè duàn rì zi lǎo gōng lù jiāo huì le tā hěn duō bǎo hù zì jǐ

这段日子，老公鹿教会了他很多保护自己

de běn lǐng bān bǐ shú liàn de rào dào yǐn bì de xiǎo lù shàng rán hòu

的本领。斑比熟练地绕到隐蔽的小路上，然后

fēi bēn huí jiā

飞奔回家。

pēng pēng de shēng yīn hái zài xiǎng zhe bān bǐ

“砰……砰……”的声音还在响着，斑比

què dìng le méi rén gēn zōng cái qīng qīng zǒu jìn lǎo gōng lù de dòng xué

确定了没人跟踪，才轻轻走进老公鹿的洞穴。

“怎么这么久才回来？”老公鹿一见他就严厉地问。

斑比有些难过，又有些委屈：“我见到菲林了……我抛弃了她……”

老公鹿不再追问，而是对斑比说：“听见刚才的枪声了吧？我们去看一看。”

说着，他率先走出洞穴。

“这是怎么回事？你不是一直让我远离‘危险’吗？”斑比很不解。

老公鹿不言不语，自顾自地走着，斑比只得紧跟在他身后。

他们来到森林，在一棵树旁发现了“危险”。他脸色惨白，一动不动地躺在地上，身下的土地被他的鲜血染红了。

“看到了吧？他也会疼痛，也会死去。”老公鹿接着说，“其实他也很脆弱。”

gào bié lǎo gōng lù

告别老公鹿

*

bān bǐ jìng jìng de kàn zhe guò le yí huìr tā cái chàn dǒu zhe shuō yuán lái tā bú shì wú suǒ bù néng de tā yě hé wǒ men yí yàng yǒu shēng mìng

斑比静静地看着，过了一会儿，他才颤抖着说：“原来，他不是无所不能的，他也和我们一样有生命。”

tīng wán lǎo gōng lù xīn wèi de diǎn le diǎn tóu kàn lái nǐ yǐ jīng míng bai le zhè tài hǎo le

听完，老公鹿欣慰地点了点头：“看来你已经明白了，这太好了。”

tā men zhuǎn guò shēn yì qǐ wǎng huí zǒu bú guò méi zǒu duō yuǎn lǎo gōng lù jiù tíng le xià lái

他们转过身，一起往回走。不过，没走多远，老公鹿就停了下来。

bān bǐ jiē xià lái de lù nǐ yīng gāi dú zì zǒu le wǒ yào xiū xi le lǎo gōng lù shuō

“斑比，接下来的路你应该独自走了，我要休息了。”老公鹿说。

nín zài zhèr xiū xi ba wǒ péi zhe nín bān bǐ huí dá

“您在这儿休息吧，我陪着您。”斑比回答。

hǎo hái zi wǒ de yì si shì xiàn zài wǒ gāi wèi zì jǐ zhǎo yí kuài ān xī de dì fang le lǎo gōng lù xiào zhe shuō

“好孩子，我的意思是，现在我该为自己找一块安息的地方了。”老公鹿笑着说。

bān bǐ lián máng tái tóu wàng zhe lǎo gōng lù shì ya zhè wèi wēi yán de lǎo qīn wáng yǎn shén bú zài ruì lì le liǎn páng biàn de xiāo shòu

斑比连忙抬头望着老公鹿。是呀，这位威严的老亲王眼神不再锐利了，脸庞变得消瘦，

máo fà yě bú zài xiān yàn le
毛发也不再鲜艳了。

shí jiān bù jǐn ràng bān bǐ zhǎng dà le yě ràng lǎo gōng lù shuāi
时间不仅让斑比长大了，也让老公鹿衰
lǎo le
老了。

bān bǐ jí de kū le chū lái bù bú yào zǒu ràng wǒ péi
斑比急得哭了出来：“不，不要走。让我陪
zhe nín ba
着您吧！”

hái zi wǒ xī wàng néng gòu píng jìng de lí kāi zhè ge shì
“孩子，我希望能够平静地离开这个世
jiè lǎo gōng lù wēn hé de shuō bǎo zhòng hǎo shēn tǐ qǐng jì
界。”老公鹿温和地说，“保重好身体，请记
zhù wǒ fēi cháng ài nǐ
住，我非常爱你。”

shuō wán lǎo gōng lù jiù jiān dìng de zhuǎn shēn lí qù le
说完，老公鹿就坚定地转身离去了。

chéng wéi lù wáng
成为鹿王

*

gào bié le suǒ yǒu de qīn rén hé péng you bān bǐ zuì zhōng chéng le
告别了所有的亲人和朋友，斑比最终成了
lǎo gōng lù nà yàng shén mì de qīn wáng
老公鹿那样神秘的亲王。

xià tiān lái le tiān qì biàn de shí fēn yán rè zhōng wǔ de
夏天来了，天气变得十分炎热。中午的
sēn lín fēi cháng ān jìng xiǎo dòng wù men dōu bèi tài yáng shài de lǎn yáng yáng
森林非常安静，小动物们都被太阳晒得懒洋洋
de bú yuàn yì duō shuō shén me huà
的，不愿意多说什么话。

zhè tiān zhōng wǔ bān bǐ zhèng zài wǔ shuì yǐn yǐn yuē yuē chuán lái
这天中午，斑比正在午睡，隐隐约约传来
de kū shēng bǎ tā chǎo xǐng le
的哭声把他吵醒了。

tā mài zhe qīng qiǎo de bù zi xiǎo xīn yì yì de shùn zhe shēng yīn
他迈着轻巧的步子，小心翼翼地顺着声音
zǒu qù céng jīng shòu guo de qī piàn ràng tā biàn de jǐn shèn
走去，曾经受过的欺骗让他变得谨慎。

chuān guò mào mì de cóng lín bān bǐ lái dào liǎng zhī zhèng zài kū qì
穿过茂密的丛林，斑比来到两只正在哭泣
de xiǎo lù miàn qián
的小鹿面前。

hái zi men zěn me le bān bǐ wèn
“孩子们，怎么了？”斑比问。

yì zhī xiǎo lù xiǎo shēng shuō nín hǎo qīn wáng wǒ shì jiě jie
一只小鹿小声说：“您好，亲王！我是姐姐
ài lì sī zhè shì wǒ de dì di lái áng wǒ men zhèng zài zhǎo wǒ men
艾利斯，这是我的弟弟莱昂。我们正在找我们

de mā ma
的妈妈。”

mā ma wū lìng wài nà zhī xiǎo gōng lù yòu kū
“妈妈……呜……”另外那只小公鹿又哭

qǐ lái
起来。

zhè shí bān bǐ hū rán huí xiǎng qǐ le zì jǐ de
这时，斑比忽然回想起了自己的

tóng nián xiǎng qǐ le lǎo gōng lù de jiào dǎo
童年，想起了老公鹿的教导。

tā duì liǎng zhī xiǎo lù shuō mā ma bú zài nǐ men
他对两只小鹿说：“妈妈不在，你们

yào xué zhe zì jǐ shēng huó
要学着自己生活。”

tīng dào zhè yàng de huà liǎng zhī xiǎo lù dī xià le tóu
听到这样的话，两只小鹿低下了头。

nán dào nǐ men yào yí bèi zi
“难道，你们要一辈子

kào zài mā ma shēn biān ma bān bǐ
靠在妈妈身边吗？”斑比

yán lì de shuō
严厉地说。

shuō wán tā jiù zhuǎn shēn cháo sēn
说完，他就转身朝森

lín shēn chù zǒu qù le
林深处走去了。

图书在版编目（CIP）数据

小鹿斑比 ： 勇气与智慧 / （ 奥 ） 费利克斯·萨尔腾著 ； 学而思教研中心编 . -- 济南 ： 山东电子音像出版社， 2024. 10. -- ISBN 978-7-83012-545-5

Ⅰ. I521.88

中国国家版本馆 CIP 数据核字第 2024B5K059 号

出 版 人：刁　戈

责任编辑：蒋欢欢　和晨赟

装帧设计：学而思教研中心设计组

XIAOLU BANBI YONGQI YU ZHIHUI

小鹿斑比 勇气与智慧

[奥] 费利克斯 · 萨尔腾　著　　学而思教研中心　编

主管单位：山东出版传媒股份有限公司

出版发行：山东电子音像出版社

地　　址：济南市英雄山路 189 号

印　　刷：湖南天闻新华印务有限公司

开　　本：710mm × 1000mm　1/16

印　　张：7.5

字　　数：96 千字

版　　次：2024 年 10 月第 1 版

印　　次：2024 年 10 月第 1 次印刷

书　　号：ISBN 978-7-83012-545-5

定　　价：22.80 元

专属____________的
阅读成长记录册

阅读指导

充满趣味的阅读指引与内容导入，既有对配套书籍相关内容的介绍与分析，也有对阅读方法的细致指导与讲解，可辅助教师教学及家长辅导，亦可供孩子自主学习使用。

阅读测评

我们根据不同年龄段孩子的注意力集中情况、阅读速度、理解水平以及智力和心理发展特点，有针对性地对孩子进行阅读力的培养。孩子也可以根据自己的阅读水平，自主规划阅读时间。

年级	日均阅读量	重点阅读力培养
1—2	约 1000 字	认读感知能力，信息提取能力
3—4	约 6000 字	推理判断能力，分析归纳能力
5—6	约 9000 字	评价鉴赏能力，迁移运用能力

阅读活动

通过形式多样的阅读活动，调动孩子的阅读积极性，培养孩子听、说、读、写、思多方面的能力，让孩子能够综合应用文本，更有创造性地阅读。

认读感知能力	认读全书文字 感知故事情节
信息提取能力	提取直接信息 提取隐含信息
推理判断能力	推理词句含义 作出预判推断
分析归纳能力	分析深层含义 归纳主要内容
评价鉴赏能力	评价人物形象 鉴赏词汇句子
迁移运用能力	内容联想延伸 知识迁移运用

阅读规划

阅读指导

在这片美丽的大森林里，住着喜欢思考的小鹿斑比和他温柔的妈妈。出生不久的小斑比第一次来到草原时，就被那绿油油的草地和辽阔的天空深深地吸引了。他飞快地在草地上奔跑着，追逐着花蝴蝶，和蝴蝶聊天，看蚂蚁搬家……随着他慢慢长大，困难也随之而来。斑比会经历哪些困难，又该如何面对它们呢？

作者简介

姓名：费利克斯·萨尔腾（1869—1947年）

国籍：奥地利

身份：记者、小说家、剧作家

擅长领域：以动物为主角的儿童小说

内容简介

《小鹿斑比》以一只名叫斑比的小鹿为主人公，讲述了他从出生到独立生活，再到经历无数磨难，最终成长为新一代鹿王的故事。

在故事中，幼年的斑比在妈妈的悉心照料下快乐成长，结交了菲林和郭波这两个童年的朋友。在逐渐长大的过程中，他又品味了找不到妈妈的心焦、偶遇神秘老公鹿的欣喜、森林大逃亡的狼狈、同伴被“危险”杀戮时的恐惧与困惑等种种生活的酸甜苦辣。随着时间的辗转流逝，斑比步入青年期。这时的他长成了一只强壮的雄鹿，并凭借他的力量击退了所有与他竞争伴侣的雄鹿，与爱人菲林幸福地生活在了一起。但是，没多久，森林里的平静与和谐就再一次被“危险”打破……

文学赏析

《小鹿斑比》是一部杰出的奥地利儿童文学作品，更是一部经得住时间考验的世界文学经典。这部童话一经出版就受到很多儿童的欢迎，基于这部童话改编的同名迪士尼动画电影更是风靡全球，深受各国儿童的喜爱。

《小鹿斑比》这部童话有着多重文学价值。首先，它是一部充满诗意的森林指南，描绘出了一个梦幻却又真实的森林世界。萨尔腾用生动形象的文字细致地呈现了美丽与残酷并存的森林环境，以及森林动物的生活习性和生活风貌。你可以通过阅读这部童话，走进森林世界，感知大自然，了解动物的习性。

其次，它也是一本关于爱、成长与生命的童话小说。在小说中，作者巧妙地运用富于人性化的笔法，将小鹿斑比成长过程的一点一滴展现出来。从踉跄学步到与森林里的伙伴一起经受考验，斑比和同伴们共同经历了生命中的欢乐与忧伤。通过阅读这本书，你可以跟着小鹿斑比一同体验成长中的酸甜苦辣，感悟成长的意义。

最后，它还是一部人与动物相处的警世寓言。故事中的人类破坏了动物们原本和谐平静的生活，肆意捕杀动物，给无辜的动物带来了灾难。人类作为反面角色在故事中出现，也体现出了作者对人类的善意提醒，呼吁人类去爱护动物、爱护自然环境。相信通过阅读这本书，你对动物的同情与怜悯之心也会得以滋养，从而在现实中爱护动物、敬畏生命。

阅读方法

1 从目录中总结小鹿斑比的成长历程。

《小鹿斑比》是一部篇幅较长的童话小说，故事从斑比的出生讲起，并逐一地叙述了他各个阶段的成长故事。在阅读这本书的时候，你可以先浏览一下目录中彩色字的大标题：幼年斑比、茁壮成长、危险来临、青年斑比等，再仔细看看每个大标题都包含了哪些小标题，这样你就可以大致了解到小鹿斑比的成长历程了。

2 观看插图，把握情节内容。

在阅读过程中，你可以圈一圈重点的词语和句子，不懂的字词可以查一查字典或者问一问爸爸妈妈。你还可以看一看书中的插图，仔细观察上面画了哪些动物，这些动物在什么地方、做什么事情，并思考一下这些动物的生活习性，来加深你对故事中角色的感知、对故事情节的理解。

3 联系生活，换位思考，把握思想感情。

《小鹿斑比》是一部充满诗意与哲思的文学作品，小说中饱含着深沉的哲思和复杂的情感，想要更好地理解这本小说中所蕴含的思想感情，你需要学着联系自己的生活，设身处地地思考主角的处境。比如说，斑比幼年时对妈妈的依赖，就像我们小时候对妈妈的不舍；妈妈离开斑比，让其学会独立活动，就如同我们的爸爸妈妈对我们的独立教育。我们也会像小鹿斑比一样，经历一些美好或痛苦的事情，感受成长的快乐与忧伤，在困惑时也需要像他一样去探索答案，不断找寻属于自己的存在方式。

bān bǐ chū shēng
斑 比 出 生 →
ài rě huò de shí wù
爱 惹 祸 的 食 物

1.(多选)刚出生时的斑比都能做什么?(　　　)

(信息提取能力)

A. 站立　　　　B. 走路

C. 奔跑　　　　D. 吮吸乳汁

E. 哭喊

2.(单选)斑比为什么觉得食物很可恶呢?(　　　)

(推理判断能力)

A. 因为食物不好吃。

B. 因为森林里的动物会争抢食物。

C. 因为斑比非常挑食。

D. 因为斑比是个调皮的孩子。

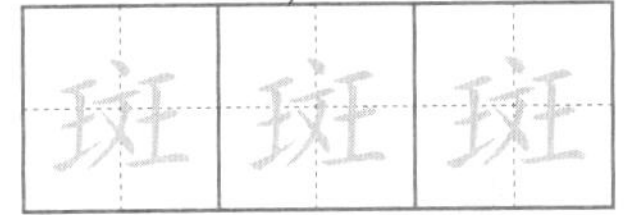

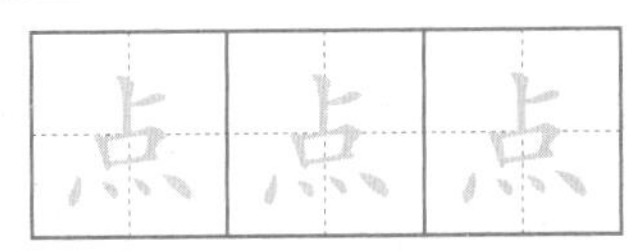

扫码查看笔顺

xué huì bēn pǎo → rè nao de cǎo yuán
学会奔跑 → 热闹的草原

3.（圈选）圈一圈。斑比来到草原上，都看到了哪些动物？

（认读感知能力）

A. 

B. 

C. 

D. 

E. 

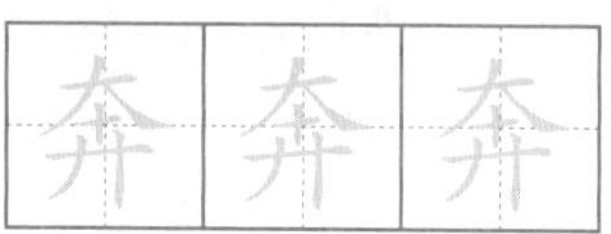

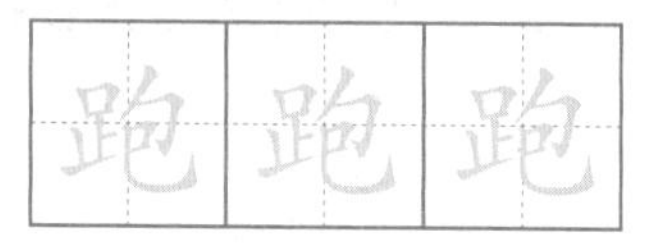

扫码查看笔顺

bái tiān de wēi xiǎn → jiāo péng you
白天的危险 → 交朋友

4.（单选）为什么鹿妈妈不让斑比在白天时到草地上玩？（　　）

（推理判断能力）

A. 因为白天的草地很危险。

B. 因为白天要去森林捕食。

C. 因为白天要睡觉。

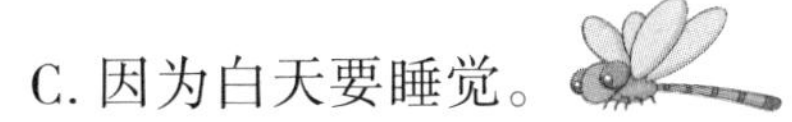

D. 因为白天草地上有太多动物了。

5.（单选）菲林对刺猬有什么看法？（　　）

（信息提取能力）

A. 她觉得刺猬很可爱。

B. 她觉得刺猬长得很漂亮。

C. 她觉得刺猬长得不好看。

D. 她觉得刺猬的脾气很好。

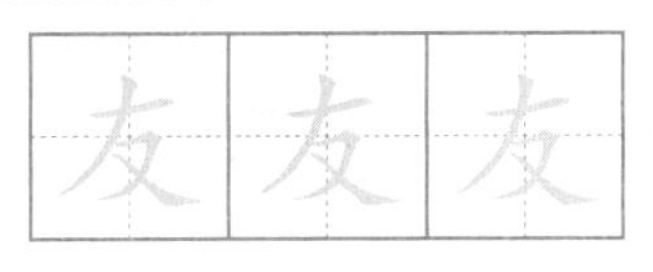

扫码查看笔顺

bà ba → bān bǐ zhǎng dà le

爸爸 → 斑比长大了

6.（单选）斑比为什么想要快点儿长大？（　　）

（分析归纳能力）

A. 长大了就可以离开妈妈，独立生活了。

B. 长大了就可以跑得跟爸爸一样快了。

C. 长大了就可以去远方旅行了。

D. 长大了就可以跟爸爸一起生活了。

旋 旋 旋

扫码查看笔顺

mā ma men de jiào yù → táo pǎo
妈妈们的教育 → 逃跑

7.（单选）斑比遇见的人类会是哪一种人呢？（　　）

（认读感知能力）

A. 旅行家　　B. 公主　　C. 猎人　　D. 乞丐

8.（单选）斑比和妈妈为什么见到人类就要跑呢？（　　）

（推理判断能力）

A. 他们的性格很害羞。

B. 他们的胆子非常小。

C. 他们从来没有见过人类。

D. 他们觉得人类很危险。

日积月累

走 走 走 路 路 路

扫码查看笔顺

第6关

lǎo gōng lù de xùn chì → qīn wáng chuán shuō
老公鹿的训斥 → 亲王传说

9.（多选）连一连，给老公鹿戴上奖章。

（分析归纳能力）

A. 独来独往　B. 勇敢威风　C. 百战百胜　D. 神秘莫测

日积月累

训 训 训 斥 斥 斥

扫码查看笔顺

tóng bàn yù xiǎn → dú lì shēng huó
同伴遇险 → 独立生活

10.（单选）帮斑比解答疑问。（　　）

（分析归纳能力）

那只年轻的公鹿为什么会倒在血泊中呢？

A. 他太累了。　　B.“危险”太厉害了。

C. 他太笨了。　　D. 他太傲慢了。

11.（单选）将图中老公鹿的话补充完整。

（信息提取能力）

A. 听爸爸妈妈的话。

B. 要学会自己观察。

C. 自己一个人生活。

D. 不哭鼻子。

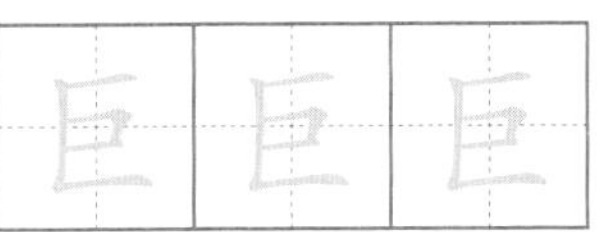

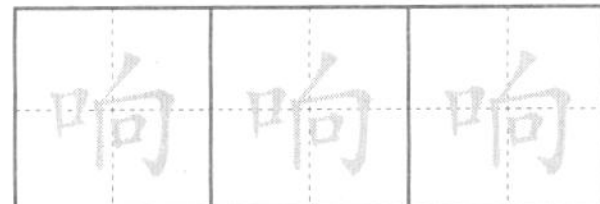

扫码查看笔顺

jiān kǔ de hán dōng → gòng tóng de yuàn wàng
艰苦的寒冬 → 共同的愿望

12.(单选)朗诺的左腿是怎么变跛的?(　　)

(信息提取能力)

A. 他从山坡上摔下来了。

B. 他的腿被枪打中了。

C. 他出生的时候就是跛的。

D. 他跟别的公鹿打架时受了伤。

13.(单选)文中提到鹿群的共同愿望是什么?(　　)

(分析归纳能力)

A. 鹿可以和人类做朋友。

B. 寒冷的冬天能够快点儿过去。

C. 草地上有足够的草可以吃。

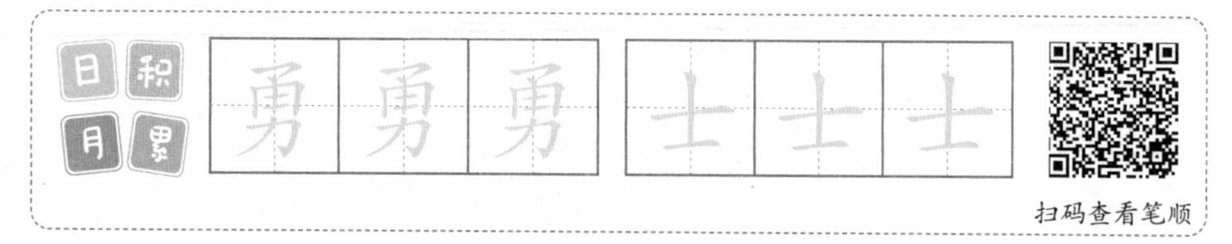

sēn lín cǎn shì → mā ma xiāo shī le
森 林 惨 事 → 妈 妈 消 失 了

14.（判断）森林里发生了什么惨事？请在正确选项后画上哭脸。

（信息提取能力）

（1）乌鸦吃掉小野兔。（　　）

（2）松鼠们打架。（　　）

（3）喜鹊吃掉白鼬。（　　）

（4）狼吃了小羊。（　　）

15.（单选）动物们为什么要逃亡？（　　）

（分析归纳能力）

A. 因为人类砍光了森林里的树木。

B. 因为很多猎人来森林里猎杀动物。

C. 因为森林里发生了火灾。

D. 因为洪水淹没了森林。

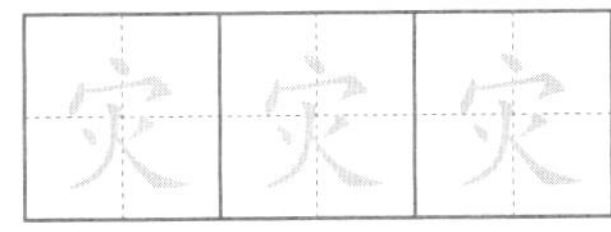

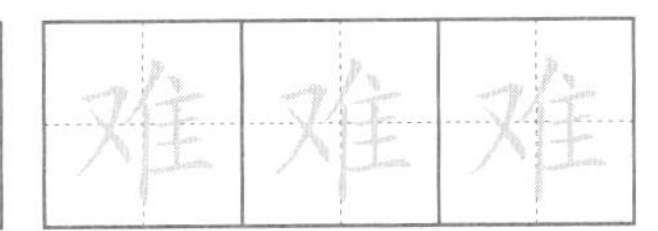

扫码查看笔顺

zhú jiàn qiáng zhuàng de bān bǐ
逐渐强壮的斑比 →
lái zì fēi lín de lěng luò
来自菲林的冷落

16.（涂画）斑比发现自己变得非常强壮，是什么心情呢？请你选出合适的选项并把它的表情画出来吧。（　　）

（信息提取能力）

A. 害怕　　B. 高兴

C. 困惑　　D. 伤心

17. 菲林为什么总是躲着斑比？（　　）

（推理判断能力）

A. 菲林怕斑比跟她打架。

B. 菲林很讨厌斑比。

C. 菲林长大了，有点儿害羞。

D. 菲林已经不认识斑比了。

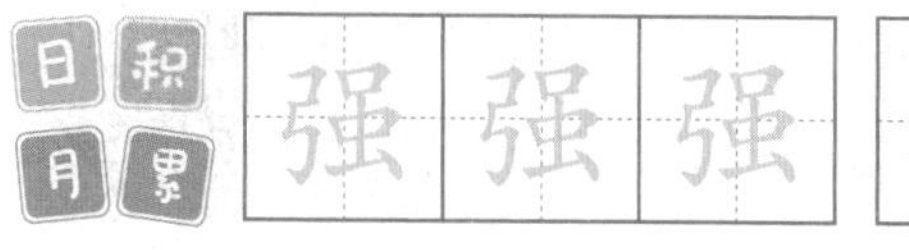

扫码查看笔顺

bān bǐ de fǎn kàng → měi hǎo huí yì
斑比的反抗 → 美好回忆

18.（多选）请根据这两章内容，选出斑比和菲林的美好回忆。（　　）

（信息提取能力）

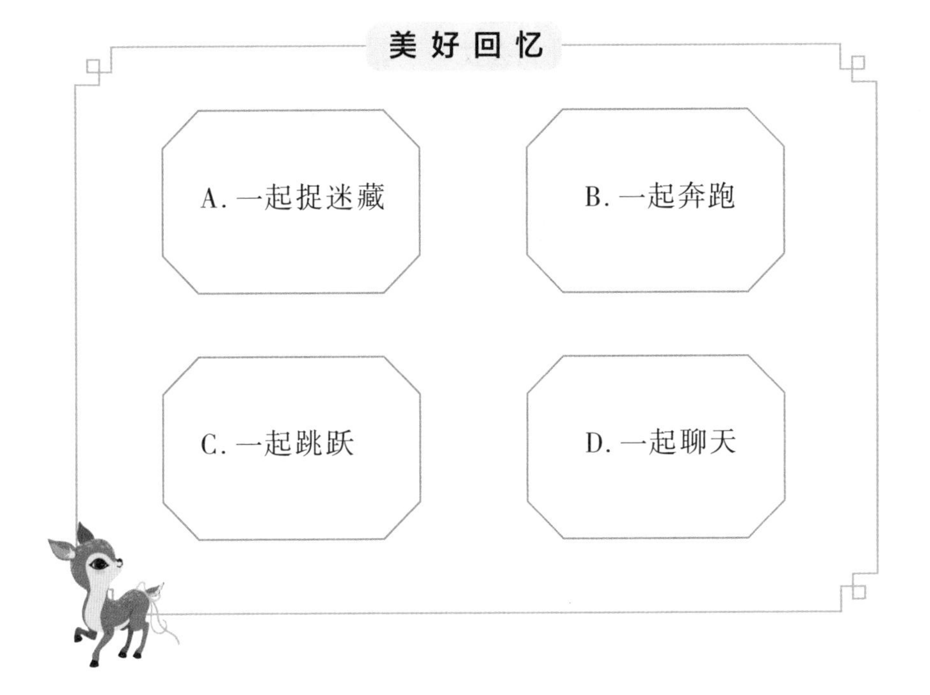

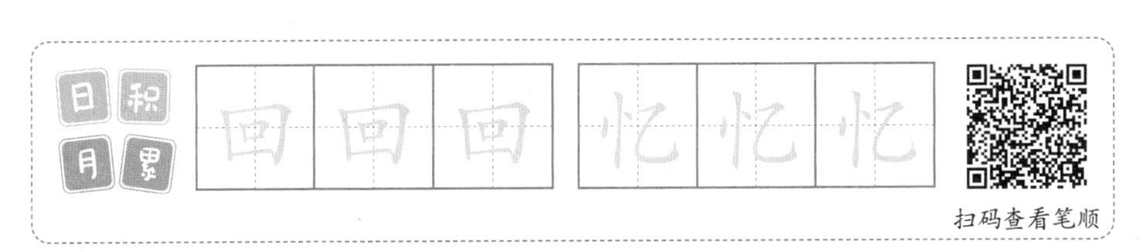

fā qǐ jìn gōng → xìng fú shēng huó
发起进攻 → 幸福生活

19.（多选）斑比都跟谁打架了？（　　）

（信息提取能力）

A. 朗诺　　B. 卡洛斯　　C. 菲林　　D. 猎狗

20.（单选）斑比用什么办法救了菲林？（　　）

（分析归纳能力）

A. 他用自己的鹿角攻击了猎狗。

B. 他把石头踢到树丛里，引开了猎狗。

C. 他找了朋友们一起来帮忙。

D. 他用肉骨头引开了猎狗。

跛 跛 跛　脚 脚 脚

扫码查看笔顺

xún zhǎo lǎo gōng lù → měi lì de wù huì

寻找老公鹿 → 美丽的误会

21.（连线）这三只鹿分别在想什么？

（分析归纳能力）

A. 老公鹿也许觉得我不够成熟、不够强壮。

B. 斑比也许不想和我这么老的鹿做朋友。

C. 老公鹿非常傲慢，我看到他觉得害怕。

英	英	英	俊	俊	俊

扫码查看笔顺

人类的诡计 → 郭波回来了

rén lèi de guǐ jì → guō bō huí lái le

22.(单选)人类设下了什么圈套?(　　)

(分析归纳能力)

A. 他们在森林里到处放置了捕兽器。

B. 他们抓走了菲林作为诱饵。

C. 他们模仿鹿的叫声,引诱鹿过来。

D. 他们通过放火来驱赶动物。

23.(多选)如果你是斑比,你会在老公鹿离开前对他说什么?(　　)

(推理判断能力)

A. 真不好意思,是我错怪了你。

B. 谢谢你救了我!

C. 你真是太胆小了。

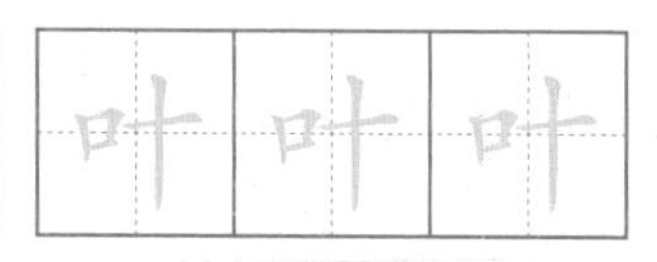

扫码查看笔顺

diū diào qiè ruò → jí huì
丢 掉 怯 弱 → 集 会

24.（多选）回来的郭波发生了什么改变？（　　）

（分析归纳能力）

A. 鹿角变得坚硬了。

B. 眼神自信而坚强。

C. 胆子变大了。

D. 样貌变得更英俊了。

25.（多选）都有哪些动物来听郭波讲故事？（　　）

（认读感知能力）

A. 野兔　B. 野鸡　C. 松鼠　D. 仓鸮　E. 黄莺

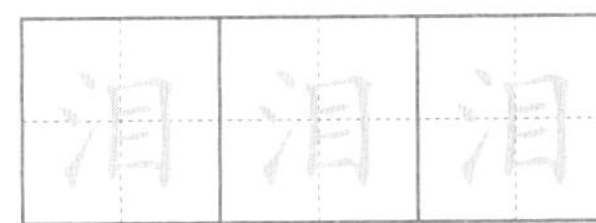

扫码查看笔顺

táo shēng qí yù → kě lián chóng

逃生奇遇 → 可怜虫

26.(单选)郭波口中“世界上最神奇的地方”是什么?(　　)

(认读感知能力)

A. 天堂　　B. 游乐园　　C. 人类的房子　　D. 城堡

27.(单选)请你帮郭波解答疑惑。

(推理判断能力)

老公鹿究竟为什么叫我“可怜虫”呢?

我认为真正的原因是(　　)。

A. 你有这么神奇的经历,老公鹿非常嫉妒你。

B. 人类在你的脖子上系了绳圈,你成了人类的宠物,失去了原本的自由。

C. 你离开妈妈这么久,受了很多苦,老公鹿非常同情你的遭遇。

D. 人类是鹿的敌人,但是你却说人类很好,所以老公鹿很不喜欢你。

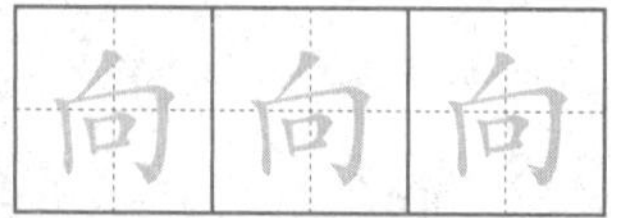

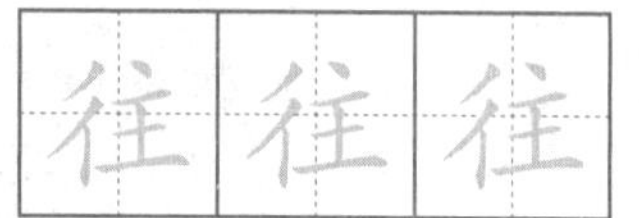

扫码查看笔顺

gǎi biàn → guō bō lí kāi le
改变→郭波离开了

28.(连线)大家对郭波分别是什么态度?

(分析归纳能力)

a.斑比　　b.老公鹿　　c.马琳娜　　d.英娜阿姨

A.崇拜　　B.不理解　　C.引以为傲　　D.批评

29.(多选)从郭波的经历中,我们可以学到什么道理?
(　　)

(评价鉴赏能力)

A.要听从朋友和家长正确的劝告。

B.不能太自以为是。

C.做事情要小心谨慎。

D.不能信任任何人。

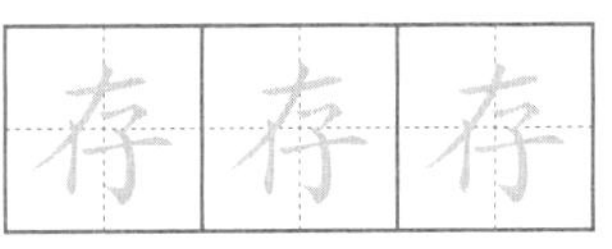

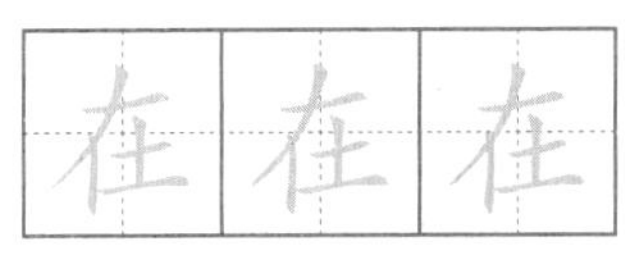

扫码查看笔顺

kùn huò xùn fú yǔ zì yóu
困 惑 → 驯 服 与 自 由

30.（多选）郭波死后，斑比有什么表现？（　　）

（分析归纳能力）

A. 独自发呆　　B. 大声痛哭　　C. 困惑不解
D. 疯跑疯跳　　E. 闷闷不乐

31.（单选）所谓的“美好生活”需要付出什么代价？（　　）

（信息提取能力）

A. 失去森林　　B. 失去健康
C. 失去亲人　　D. 失去自由

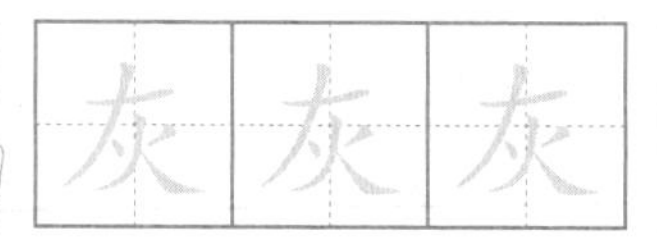

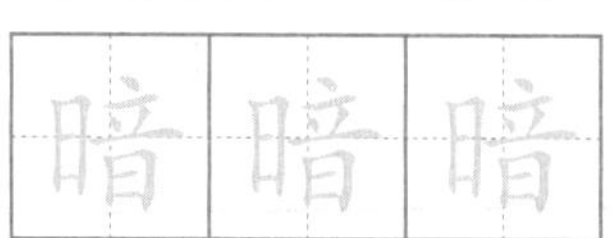

扫码查看笔顺

bān bǐ zhòng dàn → jīng xiǎn táo shēng
斑比中弹 → 惊险逃生

32.(单选)老公鹿是用什么帮斑比止血的?(　　)

(信息提取能力)

A. 绷带

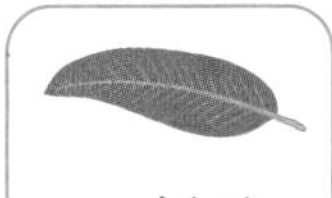
B. 树叶

C. 小草

D. 苹果

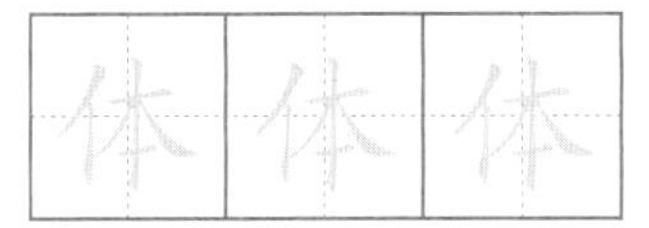

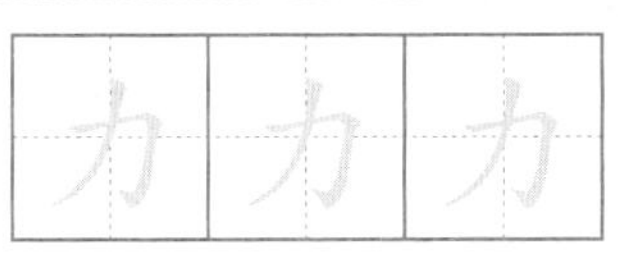

扫码查看笔顺

kāng fù liàn xí → zài jiàn fēi lín

康复练习 → 再见菲林

33.（选择填空）完成斑比的日记。

（认读感知能力）

（　　）的冬天渐渐过去了，（　　）的春天就要来了。我渐渐恢复了健康，于是今天便去森林里散了步。没想到，在树林里竟然撞见了菲林。菲林老了，她的步伐不再（　　），浑身充满了（　　），她看起来非常（　　）。一时之间，我的心情非常复杂，不知道怎么办才好……

A. 温暖　　B. 矫健　　C. 疲惫　　D. 寒冷　　E. 伤心

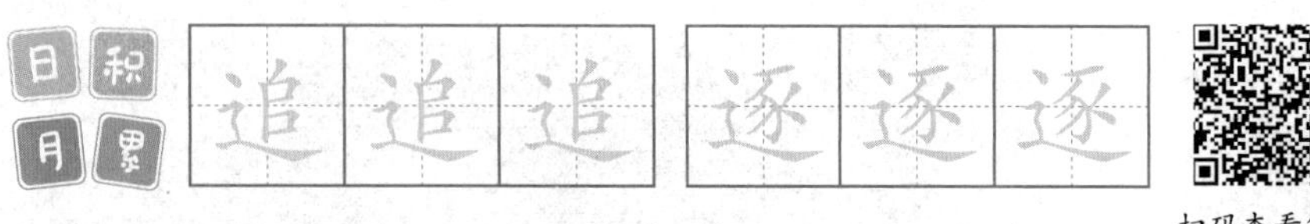

rén lèi de cuì ruò → chéng wéi lù wáng
人类的脆弱 → 成为鹿王

34.（单选）老公鹿离开这个世界的时候，希望（　　）。

（分析归纳能力）

A. 有斑比的陪伴

B. 独自离开

C. 动物们都来悼念他

D. 人类来照顾他

35.（多选）老公鹿带着斑比去见快要死去的人，是为了告诉他（　　）。

（评价鉴赏能力）

A. 我们和人类已经成为了好朋友。

B. 所有的动物都是平等的，包括人类。

C. 不要再生活在对人类的恐惧之中。

D. 鹿也可以报复人类。

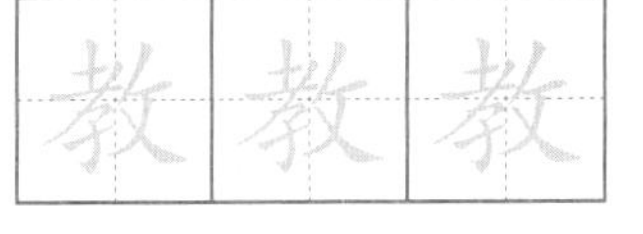

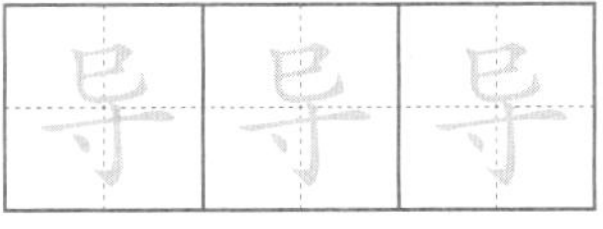

扫码查看笔顺

阅读活动

1 小鹿知多少

读了《小鹿斑比》后，你一定知道了很多鹿的习性吧？快来检验一下吧！

（1）你知道小鹿喜欢吃什么食物吗？给他选一份合适的食物吧！（　　）

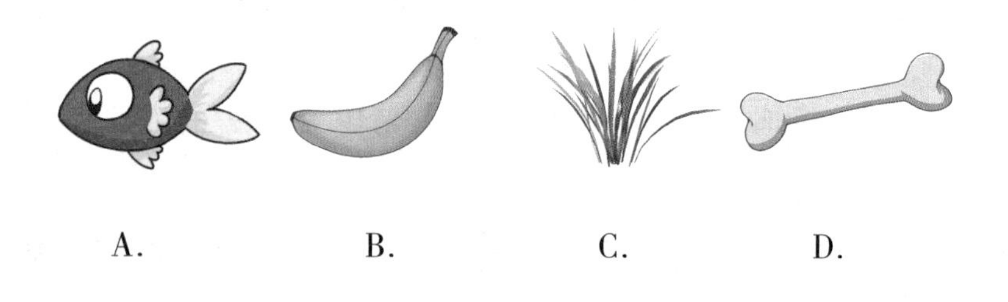

A.　　　　B.　　　　C.　　　　D.

（2）小鹿都有什么本领呢？（　　　）

A. 飞翔　　B. 奔跑　　C. 游泳　　D. 跳跃

2 思维导图

填写下面的思维导图，并按照这张思维导图，给你的家人和朋友讲一讲《小鹿斑比》这本故事吧！

幼年
- 斑比出生、认识鹿道、学会奔跑。
- 结交朋友：姐姐菲林、弟弟（1）____。
- 见到爸爸，希望快点儿长大。

成长
- 妈妈教育他要独立，常常丢下他。
- 初遇妈妈口中危险的（2）____。
- 遇到神秘的（3）____。

危险来临，人类大量捕杀动物，动物逃亡。在逃亡的路上，斑比的妈妈（4）____了。

青年
- 斑比逐渐强壮，与菲林重逢。
- 斑比与其他雄鹿展开竞争。
- 斑比打败（5）____、（6）____，最后与菲林幸福地生活在一起。

郭波回来了，跟大家讲述他的逃生奇遇，但胆子变大的郭波最终死在了人类的枪弹下。

成为鹿王
- 斑比中弹，在老公鹿的帮助下惊险逃生，并通过（7）____恢复了健康的腿脚。
- 再见菲林，但斑比没有跟菲林相认。
- 老公鹿带斑比见到了将死的人类，斑比认识到人也有（8）____的一面。
- 老公鹿独自离开这个世界，斑比最终成为新的鹿王。

3 观影剧场

跟爸爸妈妈一起观看电影《小鹿斑比》，并跟他们讨论一下你最喜欢的情节或者电影画面是什么吧！

观影记录

时间：____年____月____日

姓名：________________

情节开始的时间：____时____分____秒

情节里的地点：

情节里的角色：

情节的大概过程：

为什么最喜欢这段情节：

4 社会实践

在《小鹿斑比》中，鹿们共同的心愿就是有一天能和人类做朋友。作为人类的一份子，你愿意和这些可爱的鹿做朋友吗？快来走近鹿的世界，了解鹿，爱护鹿吧！

第一步

查一查鹿有哪些种类：

1. 梅花鹿

2. 驯鹿

3.

4.

第二步

去动物园看看它们，跟它们打个招呼。

第三步

想一想如何保护鹿：

1.

2.

3.

5 公益话剧

跟家人朋友们一起排练一场公益话剧，呼吁大家一起保护鹿群吧！你可以参照下面的工作清单和剧本台词来进行表演。

话剧名称：《小鹿斑比想和人类做朋友》

角色与演员：我扮演小鹿斑比，妈妈扮演老公鹿，爸爸扮演猎人，小伙伴扮演菲林……

道具服装：小鹿面具、玩具枪（把纸剪出枪的形状即可）……

剧本台词：

情景一：危险来了

传来枪响（可以用拍桌子的声音模拟）

老公鹿（着急地说）：是“危险”来了！

菲林（哭泣着说）：斑比，我们会不会死？

斑比（镇定地说）：不要怕，菲林，我会保护你！

情景二：斑比救了猎人

猎人拿着枪出场，鹿群向四面八方跑去。

老公鹿（边跑边喊）：“大家快跑，不要回头，猎人追不上我们的！”

一阵巨响，一个大石头砸到猎人，猎人倒地。

猎人（大喊）：“救命！”

斑比（听到人的呼救，转头去看）：“猎人被山上滑落的石头砸中了！我必须要救他！”

菲林（尖叫）：“太危险了！斑比！”

斑比飞速跳到猎人身边，使劲用头顶开了石头，将猎人从石头下面救了出来。

情景三：斑比和人类成为朋友

猎人（有些难为情）：“谢谢你救了我，我来捕杀你，你却救了我，我真不知道该说些什么好。”（一边说，一边用手挠挠头。）

斑比（真诚地说）：“我们希望能和人类成为朋友，互帮互助，共同生活在一个和谐的世界中。请你们人类不要再伤害我们了，好吗？”

猎人（一脸坚定）：“好！鹿是人类的朋友！我们以后一定会爱护鹿！”

（猎人说完，就把猎枪背到身后，然后护送斑比他们回到了丛林中。）

参考答案

阅读测评

1.ABD

2.B

3.ACE

4.A

5.C

6.D

7.C

8.D

9.ABD

10.B

11.B

12.B

13.A

14.

(1)乌鸦吃掉小野兔。(T T)

(2)松鼠们打架。(T T)

(3)喜鹊吃掉白鼬。(T T)

(4)狼吃了小羊。(　　)

15.B

16.B

17. C

18.ABC

19.AB

20.B

21.

A. 老公鹿也许觉得我不够成熟、不够强壮。

B. 斑比也许不想和我这么老的鹿做朋友。

C. 老公鹿非常傲慢，我看到他觉得害怕。

22.C

23.AB

24.ABC

25.ABCDE

26.C

27.B

28.a—B; b—D; c–A; d—C

29.ABC

30.ACE

31.D

32.B

33.D　A　B　C　E

34.B

35.BC

阅读活动

1.（1）C

（2）BD

2. 思维导图：

（1）郭波

（2）人类

（3）老公鹿

（4）消失

（5）卡洛斯

（6）朗诺

（7）康复练习

（8）脆弱

3. 略

4. 鹿的种类：梅花鹿、驯鹿、驼鹿、马鹿、狍子等。

保护措施：禁止猎杀野鹿，建立自然保护区，保护鹿的栖息地，宣传动物保护知识。

5. 略